débats
collection dirigée par
michel delorme

les monnayeurs
du langage

*Freud, Marx : économie et symbolique,* Seuil, 1973.

*Les Iconoclastes,* Seuil, 1978.

jean-joseph goux

# les monnayeurs
# du langage

éditions galilée
9, rue linné
75005 paris

© Editions Galilée, 1984
ISBN 2-7186-0254-6

Est-ce un hasard si la crise du réalisme romanesque et pictural en Europe coïncide avec la fin de la monnaie-or ? Et si la naissance d'un art devenu « abstrait » est contemporaine de l'invention scandaleuse et maintenant généralisée du signe monétaire inconvertible ? N'y a-t-il pas là, en même temps pour la monnaie et pour les langages, un effondrement des garanties et des référentiels, une rupture entre le signe et la chose, qui défait la représentation et inaugurent un âge de la dérive des signifiants ?

*Les Faux-Monnayeurs* de Gide, à ce titre, est une œuvre littéraire exemplaire, que l'on n'a guère songé jusqu'à présent à interroger sous cet angle. Le « faux-monnayage » intitulant, qui ouvre, par-delà la fausseté monétaire, la question du fondement des valeurs et du sens, devient la métaphore centrale d'une mise en cause des *équivalents généraux*. Toute l'économie interne des *Faux-Monnayeurs* est révélatrice : le langage *et* la monnaie, dans leur statut étroitement homologique, sont atteints, mais aussi la valeur de paternité et

9

toutes les autres valeurs qui règlent les échanges. L'*or*, le *père*, la *langue*, le *phallus*, ces équivalents généraux dans le triple registre de la mesure, de l'échange et de la réserve, subissent en même temps, suivant des attendus qui se métaphorisent constamment l'un par l'autre (trahissant leur solidarité structurale), une crise fondamentale — qui est aussi celle du genre romanesque. Gide met en fiction un passage : entre une société fondée sur la légitimation par la représentation, et une société qui ne reproduit plus ce type de légitimation, mais où règne la non-convertibilité de signifiants renvoyant l'un à l'autre comme des jetons, dans une dérive indéfinie où aucun étalon ni trésor ne vient apporter la garantie d'un signifié transcendantal ou d'un référent.

Dans une deuxième partie qui viendra étayer suivant des coupes différentes la même conjoncture du symbolique, nous découvrirons chez Mallarmé, Valéry, Saussure et quelques autres, ce qui perturbe déjà le régime du « langage-or » qu'un Hugo ou un Zola par contre, au plus fort d'un XIXᵉ siècle triomphant, avaient illustré pleinement.

Ainsi l'homologie structurale entre monnaie et langage qui se dit à l'intérieur de la fiction littéraire par un jeu cohérent de métaphores, permet de repérer une coupure historique. A l'époque révolue du « langage-or » qui fondait le dispositif réaliste et expressif de la représentation classique, a succédé l'époque présente du « langage-jeton », avec la disparition des référentiels et la dérive des signifiants qui l'accompagne. En interrogeant cette logique des substituts qui affecte à la fois signes monétaires et signes linguistiques, économie et littérature, il devient possible de rendre compte des traits majeurs de notre mode de symboliser, et de se risquer vers le probable à partir de ses apories.

# I. Les faux-monnayeurs

# 1. La fausse pièce d'or

Dans la partie médiane des *Faux-Monnayeurs*, un personnage de romancier, qui écrit un livre qu'il compte intituler aussi *Les Faux-Monnayeurs*, expose ses idées sur le roman qu'il est en train d'écrire. Il s'adresse à quelques interlocuteurs incrédules. Difficile assurément de faire comprendre l'idée d'un roman qui n'aurait pas de sujet. Un roman qui ne serait par exemple que l'histoire d'un roman qui s'écrit, et dans lequel les idées auraient plus d'importance que les personnages. En somme un roman pur — ou abstrait. Mais pourquoi ce qui fut possible en musique, et même en peinture, ne serait-il pas possible en littérature ? De ce roman en gestation, dont le romancier essaie de faire la théorie, seul le titre est déjà certain. Et encore pas tout à fait, car c'est un titre trompeur. Mais pourquoi *Les Faux-Monnayeurs* ? demande-t-on au romancier. Ces faux-monnayeurs, qui sont-ils ?

La réponse, bien évidemment, préoccupe très directement le lecteur réel du livre de Gide. Car il est probable que la stratégie qui consiste à inventer un personnage de romancier qui écrit un roman de même titre que celui que le lecteur a sous les yeux, indique qu'entre le roman réel et le roman fictif, entre le titre encadrant et le titre encadré, des relations existent. La réponse, cependant, ne sera pas directe. A la question « Ces faux-monnayeurs, qui sont-ils ? », le premier mouvement d'Edouard (puisque tel est le nom du romancier inventé par Gide) est de dire qu'il n'en sait rien. C'est à certains de ses confrères, les autres écrivains, qu'Edouard pensait d'abord, en pensant aux faux-monnayeurs. Mais l'attribution s'était tellement élargie qu'il devenait difficile de dire quelque chose de précis, et surtout de concret. Car ce n'est pas en partant d'une histoire et en évoquant des personnages (donc en racontant une aventure vécue par des faux-monnayeurs) mais plutôt en partant de *concepts économiques* qu'il aurait été possible de répondre à la question. Mais de cela, Edouard ne peut parler. Un romancier reste-t-il un romancier si au lieu de promettre des personnages et une histoire, il commence à exposer des idées — et surtout, surtout, une théorie économique ?

C'était pourtant l'inclination la plus forte d'Edouard. Car « son cerveau, s'il s'abandonnait à sa pente, chavirait vite dans l'abstrait, où il se vautrait tout à l'aise. Les idées de change, de dévalorisation, d'inflation, peu à peu envahissaient son livre, comme les théories du vêtement de *Sartor Resartus* de Carlyle — où elles usurpaient la place des personnages. Edouard ne pouvant parler de cela, se taisait de la manière la plus gauche, et son silence, qui semblait un aveu de disette, commençait à gêner beaucoup les autres »[1].

---

1. *Les Faux-Monnayeurs,* Gallimard, coll. Folio, 1978, p. 189. Les citations de ce roman seront suivies, dans la suite de notre analyse, par le numéro de page correspondant à cette édition.

Telle est la situation fausse dans laquelle se trouve Edouard. Les idées économiques usurpent la place des personnages. Une tendance à l'*abstrait,* pas n'importe quelle abstraction, mais celle des concepts de l'économie politique (change, dévalorisation, inflation), ronge la certitude naïve de la représentation romanesque. Le personnage, mais aussi l'histoire, deviennent impossibles. Comment oser dire cela ? Comment un romancier peut-il avouer à ses lecteurs qu'il est en train de travailler à la mort du genre romanesque ?

C'est alors, pour faire sans doute plus concret (ou plus figuratif) et retrouver aux yeux des autres une identité de vrai romancier qu'Edouard a recours à une comparaison bien tangible. Le « faux-monnayage » était une notion trop abstraite pour être exposable. « Faux-monnayeurs » personnifiait d'une façon fâcheuse, qui ne correspondait pas à la préférence déclarée d'Edouard pour les idées plutôt que pour les hommes. Mais la « fausse monnaie » enfin est une chose concrète, puisqu'on peut la tenir entre les mains, et elle est simultanément l'image possible de quelque chose de plus abstrait, qu'elle peut symboliser, ou illustrer.

C'est ainsi qu'au milieu du livre (p. 189) par la comparaison avec la fausse pièce de monnaie, Edouard tente de répondre à la question que ses trois interlocuteurs lui posent sur le titre de son roman en cours :

« Vous est-il arrivé déjà de tenir entre les mains une pièce fausse ? demanda-t-il enfin.

— Oui, dit Bernard ; mais le " non " des deux femmes couvrit sa voix.

— Eh bien ! imaginez une pièce d'or de dix francs qui soit fausse. Elle ne vaut en réalité que deux sous. Elle vaudra dix francs tant qu'on ne reconnaîtra pas qu'elle est fausse. Si donc je pars de cette idée que...

— Mais pourquoi partir d'une idée ? interrompit Bernard

impatienté. Si vous partiez d'un fait bien exposé, l'idée viendrait l'habiter d'elle-même. Si j'écrivais *Les Faux-Monnayeurs,* je commencerais par présenter la pièce fausse, cette petite pièce dont vous parliez à l'instant... et que voici. »

Ce disant, il saisit dans son gousset une petite pièce de dix francs, qu'il jeta sur la table.

« Ecoutez comme elle sonne bien. Presque le même son que les autres. On jurerait qu'elle est en or. J'y ait été pris ce matin, comme l'épicier qui me la passait y fut pris, m'a-t-il dit, lui-même. Elle n'a pas tout à fait le poids, je crois ; mais elle a l'éclat et presque le son d'une vraie pièce : son revêtement est en or, de sorte qu'elle vaut pourtant un peu plus de deux sous ; mais elle est en cristal. A l'usage, elle va devenir transparente. Non, ne la frottez pas ; vous me l'abîmeriez. Déjà l'on voit presque au travers. »

Edouard l'avait saisie et la considérait avec la plus attentive curiosité.

« Mais de qui l'épicier la tient-il ?

— Il ne sait plus. Il croit qu'il l'a depuis plusieurs jours dans son tiroir. Il s'amusait à me la passer, pour voir si j'y serais pris. J'allais l'accepter, ma parole ! mais, comme il est honnête, il m'a détrompé ; puis me l'a laissée pour cinq francs. Il voulait la garder pour la montrer à ce qu'il appelle " les amateurs ". J'ai pensé qu'il ne saurait y en avoir de meilleur que l'auteur des *Faux-Monnayeurs* ; et c'est pour vous la montrer que je l'ai prise. Mais maintenant que vous l'avez examinée, rendez-la-moi ! Je vois, hélas ! que la réalité ne vous intéresse pas.

— Si, dit Edouard ; mais elle me gêne.

— C'est dommage, reprit Bernard. »

Ainsi, la fausse monnaie est appelée ici comme l'image centrale qui permet d'intituler l'activité d'ensemble du romancier. Métaphore du titre, comme on parle du titre de l'or, pour mesurer la pureté de sa composition. Ce n'est pas seulement le langage qui est comparé à la monnaie, comme chez Mallarmé ; mais une certaine pratique romanesque du langage, cette pratique devenue pour Edouard de plus en plus problématique. Elle est implicitement métaphorisée par la fausse pièce.

Quel est le sens de cette image ? Question d'autant plus aiguë qu'il est clair, que l'écriture de Gide, ce roman que le lecteur est en train de lire, est pris dans la même métaphore : il *est* aussi assurément cette fausse pièce de monnaie.

Or il ne s'agit pas de n'importe quelle contre-façon. Celle qui est exhibée présente une particularité qui la rend exceptionnelle : c'est une *monnaie de cristal.* Elle est recouverte d'un revêtement d'or véritable qui lui donne toute l'apparence d'une vraie pièce ; mais à l'usage, elle va devenir transparente.

Qu'un roman non seulement se donne pour titre *Les Faux-Monnayeurs,* mais qu'il fasse usage, en plusieurs points, d'une comparaison monétaire pour dire ce qu'il en est du langage, devrait suffire à motiver notre intérêt. N'y a-t-il pas entre le langage et la monnaie une homologie complexe, beaucoup plus fine qu'il n'y paraît d'abord et qui, si on la déploie dans toute sa logique, finit par interroger les catégories majeures de notre pensée. Valeurs, loi, échange, idée, nature, signe, représentation, autant de notion que le parallèle entre langage et monnaie nous conduit à mettre en œuvre.

Prenons au sérieux la comparaison voilée entre le roman et la fausse pièce. Nous ne pouvons finalement entendre que ceci : le roman est *comme* la fausse pièce dont on jurerait qu'elle est en or, avec l'éclat et le son d'une vraie pièce, alors que cet or n'est en fait qu'un « revêtement » couvrant une substance cristalline, si bien qu'à l'usage, elle va devenir transparente. Or que signifie cet *usage,* sinon la lecture et relecture d'un roman qui peu à peu devra pouvoir être dépouillé de son apparence aurifère de *véritable* roman, jusqu'à devenir transparent comme un cristal ? Le lecteur critique est averti que sous le revêtement d'or se trouve le cristal, et qu'il doit user la mince couche trompeuse de métal jaune jusqu'à une translucidité complète qui lui permettra de voir au travers. Lire, faire usage de la valeur des mots du livre, n'est-ce donc pas dès lors *abîmer* l'apparence superficielle de la pièce romanesque, pour y découvrir peu à peu la transparence cristalline d'une pure construction ?

« Elle n'a pas tout à fait le poids, je crois ; mais elle a l'éclat et presque le son d'une vraie pièce ; son revêtement est en or, de sorte qu'elle vaut pourtant un peu plus de deux sous ; mais elle est en cristal. A l'usage, elle va devenir transparente. Non, ne la frottez pas ; vous me l'abîmeriez. Déjà l'on voit presque au travers. » (P. 189.)

*L'abîmer* ? Mais n'est-ce pas *en abyme* qu'est placé le roman *Les Faux-Monnayeurs* dans *Les Faux-Monnayeurs* de Gide. La pièce est déjà abîmée. On voit *presque* au travers. Sous l'or, le cristal. *Sous l'or du roman réaliste, le cristal de l'abstraction.* Mais que, de plus, comme c'est le cas ici, un roman fasse explicitement du faux-monnayage l'image même de la production romanesque moderne dans son essence, que ce roman soit aussi en même temps, un roman de crise, qui montre spéculairement, un romancier qui écrit un roman du même titre que celui que vous lisez et dans lequel s'annonce la fin du roman réaliste (avec histoire et personnage), que tout cela se combine enfin en un même syndrôme, voilà qui est bien étrange et mérite une analyse plus attentive.

En quoi le faux-monnayage peut-il devenir la métaphore centrale et intitulante où bascule le genre romanesque lui-même, et où il trouve l'expression de la crise fondamentale qu'il traverse ?

Ou encore, plus précisément : à quelle conjoncture littéraire et historique correspond ce roman de Gide, où l'on
voit s'associer, en un même syndrôme, trois traits qui pourraient sembler n'avoir aucun rapport entre eux, mais que
*Les Faux-Monnayeurs* nous oblige à penser ensemble :

1/ l'envahissement de la fiction romanesque par la métaphore économique jusqu'au remplacement des personnages
par des abstractions économiques ;

2/ le choix du roman réflexif ou spéculaire (roman du
roman qui s'écrit) ;

3/ la crise décisive de la représentation réaliste (« personnages », « histoires »), avec le projet déclaré, sinon réalisé, d'une littérature « pure » ou « abstraite » (au sens
de la peinture abstraite).

Quelle peut être la logique de ce syndrôme ? Quels rapports nécessaires y a-t-il entre ces trois aspects, qui puissent
surdéterminer leur rencontre dans un roman écrit en 1925,
c'est-à-dire, on le sait, à une période de rupture sans précédant dans l'histoire des pratiques signifiantes ?

Ainsi, la vraie pièce d'or circulante symboliserait le sémantisme naïf, le crédit fait à la figuration apparente, tandis
que le cristal serait la construction pure qui se cache sous
ce revêtement.

Construction pure, ou peut-être couche théoricienne. Car
en plaçant un romancier en figure centrale, Gide, à son
tour, donne à tout son roman un noyau cristallin qui retentit sur la lecture naïve de la composition. La constante interrogation sur l'écriture (Journal d'Edouard) vient fausser la
lecture réaliste du livre et fonctionne ainsi comme base à la
fois transparente et réfléchissante qui en constitue « l'intérieur » théorique, abstrait, spéculatif.

Le seul roman que Gide ait pu écrire est un roman tru-
qué. Une contre-façon du roman authentique. C'est une
œuvre qui présente toutes les apparences extérieures du

genre, et qui est « donnée pour » (ou « vendue pour » sur le marché de la « mentale denrée » dont parle Mallarmé), mais dont la substance et la composition interne est autre chose qu'un roman, une mise en cause de la forme romanesque. Essai critique, déguisé en roman par la peinture brillante de thèmes pathétiques qui s'y trame et s'y grave ; roman vrai, mais travaillé du dedans par la réflexion critique, jusqu'à cette perspicacité qui abîme la belle apparence, qui discrédite son bon aloi, pour en faire ce faux-jeton sans opacité, sans couleur, cristal blanc dévalorisé sur le marché des monnaies — que doit frapper l'authentique écrivain. Par là, Gide dénonce la fiction d'un régime linguistique qui voudrait se donner comme homologue à la circulation de la monnaie-or.

Lire le livre, ce serait donc montrer à la fois comment il réussit à donner le change par son revêtement (tout ce que l'effigie habilement met en relief), mais ce serait aussi *user* assez cette surface brillante, par un commerce répété, pour découvrir, en dessous, la transparence de cristal. Deux lectures sont possibles l'une naïve qui prend l'histoire pour argent comptant, la vie des personnages pour espèces sonnantes et trébuchantes, et l'autre, avertie par la feinte de toute fiction, qui gratte la superficie dorée pour connaître la composition.

Lecture de l'épicier. Lecture de l'amateur. Double lecture, à la fois différente et identique. Double circulation, double économie. Ou plutôt doublure qui doit dénoncer le sens naïf et suspecter la valeur même d'authenticité. Lire ce texte, serait donc prendre tour à tour la place de l'épicier, et celle de l'amateur.

Devant l'apparence d'un or véritable, d'une effigie et d'une inscription, l'épicier d'abord s'y laisse prendre. Mais lorsqu'il découvre le subterfuge, il abandonne la pièce à l'amateur. Il n'a rien gagné dans la transaction, au contraire, puisque, leurré par l'apparence, il a d'abord accepté la pièce pour son prix marqué et qu'il la cède maintenant pour moitié prix. Or pour l'amateur, c'est une trouvaille. Cette pièce étrange qui n'a pas en soi de valeur marchande, surtout pas celle qui s'indique frauduleusement sur son revers, présente une incomparable *valeur de curiosité*. Elle n'a pas de prix.

On pourra montrer, de plus, par l'analyse des thématiques qui s'entrecroisent dans le roman que ce n'est pas seulement la fausseté monétaire et la fausseté linguistique qui sont homologuées et renvoient l'une à l'autre métaphoriquement. La fausseté du *père* est un des thèmes majeurs qui se développent dans cette composition fuguée. Le roman débute, ce qui est hautement significatif, par cette découverte que fait le jeune lycéen Bernard : celui qu'il tenait pour son père Maître Profitendieu, l'homme de loi, n'est pas son vrai père. C'est par un mensonge qu'il porte ce nom. « Mon faux père » dira-t-il. Et le thème du père faux, ou du père désavoué, reviendra sous d'autres formes, à propos du vieux comte, si dur que sa mort ne laisse aucun regret à quiconque, pas même à ses fils, ou encore à propos du pasteur qui prêche sans conviction intime, élément du thème protestant qui se déploie dans la composition. Ce sont donc l'*or*, la *langue*, et le *père*, c'est-à-dire les *équivalents généraux* qui sont suspectés en même temps — le faux-monnayage devenant la métaphore centrale de la crise historique d'une certaine modalité de la forme-valeur. Les valeurs non seulement économiques, mais sémantiques, éthiques, religieuses, juridiques sont affectées par la suspicion.

Ainsi le roman de Gide témoigne-t-il, thématiquement, d'une crise de la représentation, puisque les équivalents universels incarnés sont les Représentants. En même temps, le dispositif littéraire, *formellement,* est saisi par un mouvement de contestation du système représentatif, comme l'avait été avant lui la peinture. Or cette *avance* de la peinture sur la littérature, et la nécessité pour cette dernière de trouver son chemin propre vers l'homologue de l'abstraction picturale, est formulée avec une parfaite netteté dans *Les Faux-Monnayeurs,* par un deuxième personnage d'écrivain, Strouvilhou, qui va nous conduire peu à peu à un autre versant de la métaphore monétaire du langage.

Ici, l'accent porte avec quelque ironie, voire quelque cynisme, sur la destruction du sens, assimilé clairement à la destruction de la *figure* (du portrait) ou plus généralement au parti-pris d'éluder toute ressemblance. Pour parvenir, en littérature, à un résultat homologue à celui de la non-figuration picturale, il faut *nettoyer* le langage de toute signification.

« Je me suis souvent demandé par quel prodige la peinture était en avance, et comment il se faisait que la littérature se soit ainsi laissé distancer ? Dans quel discrédit, aujourd'hui, tombe ce que l'on avait coutume de considérer, en peinture, comme " le motif " ! Un beau sujet ! Cela fait rire. Les peintres n'osent même plus risquer un portrait, qu'à condition d'éluder toute ressemblance. Si nous menons à bien notre affaire, et vous pouvez compter sur moi pour cela, je ne demande pas deux ans pour qu'un poète de demain se croie déshonoré si l'on comprend ce qu'il veut dire. Oui, Monsieur le comte ; voulez-vous parier ? Seront considérés comme antipoétiques, tout sens, toute signification. Je propose d'œuvrer à la faveur de l'illogisme. Quel beau titre, pour une revue : *Les Nettoyeurs* ! » (P. 320.)

C'est ici une version différente de la crise littéraire qu'affronte Edouard qui est formulée. A la patience d'un Edouard qui cherche en tâtonnant à produire un « roman pur », s'oppose un geste iconoclaste, *le nettoyage du sens* assimilé à la destruction de la figure. Il s'agit de deux tentatives de solution témoignant de la même rupture avec la représentation. Mais dans un cas, c'est la construction cristalline d'un roman idéal et réflexif qui devrait dépasser les anecdotes d'une littérature naturaliste ; dans l'autre cas, c'est, plus violemment, le désaveu de toute signification, qui se propose de mettre fin à la situation fausse de « l'inflation poétique ». Strouvilhou veut dénoncer, par une déflation généralisée du langage, le crédit de l'expression poétique, « démonétisant » les « sonores rengaines lyriques » (p. 320). A la solution « constructiviste » d'Edouard s'oppose le parti-pris « destructiviste » de Strouvilhou qui en appelle aux jeunes gens dégourdis pour démolir le système économique du langage établi. « Qu'on se propose de démolir et l'on trouvera toujours des bras. Voulez-vous que nous fondions une école qui n'aura d'autre but que de tout jeter bas ? (...) Ça vous fait peur ? » (P. 320.)

Or ces deux solutions, l'une qui laisse sceptique les interlocuteurs d'Edouard, et l'autre qui est destinée à terrifier le monde littéraire par son radicalisme, ont ceci en commun de tout à fait notable : la monnaie, cet équivalent général des échanges économiques, cette mesure universelle des valeurs marchandes, constitue le point de référence métaphorique central, capable de montrer l'opération et d'en faire saisir la portée. Plus précisément encore : ce n'est jamais la bonne monnaie qui constitue le point de comparaison, mais c'est soit la *fausse monnaie* (dans le cas d'Edouard) soit la *mauvaise monnaie, le jeton* (dans le cas, nous allons y insister, de Strouvilhou). D'une manière ou d'une autre c'est la faillite d'une circulation des valeurs fondée sur la *monnaie-or* qui devient la métaphore de la faillite du système réaliste ou représentatif du langage. Tout se passe comme si l'incapacité à maintenir un système d'échange fondé sur la valeur-or devenait la meilleure métaphore de l'incapacité à assumer un langage littéraire fondé sur les anciennes valeurs de réalisme (et d'expressivité). Pour Edouard, comme pour Strouvilhou, le régime linguistique *fondé sur la valeur-or du langage* est en train de faire banqueroute.

« A vrai dire, mon cher comte, je dois vous avouer que, de toutes les nauséabondes émanations humaines, la littérature est une de celles qui me dégoûtent le plus. Je n'y vois que complaisances et flatteries. Et j'en viens à douter qu'elle puisse devenir autre chose, du moins tant qu'elle n'aura pas balayé le passé. Nous vivons sur des sentiments admis et que le lecteur s'imagine éprouver, parce qu'il croit tout ce qu'on imprime ; l'auteur spécule là-dessus comme sur des conventions qu'il croit les bases de son art. Ces sentiments sonnent faux comme des jetons, mais ils ont cours. Et, comme l'on sait que " la mauvaise monnaie chasse la bonne ", celui qui offrirait au public de vraies pièces semblerait nous payer de mots. Dans un monde où chacun triche, c'est l'homme vrai qui fait figure de charlatan. Je vous en avertis si je dirige une revue, ce sera pour y crever des outres, pour y démonétiser tous les beaux sentiments, et ces billets à ordre : les mots.

— Parbleu, j'aimerais savoir comment vous vous y prendrez.

— Laissez faire et vous verrez bien. J'ai souvent réfléchi à cela.

— Vous ne serez compris par personne, et personne ne vous suivra.

— Allez donc ! Les jeunes gens les plus dégourdis sont prévenus de reste aujourd'hui contre l'inflation poétique. Ils savent ce qui se cache de vent derrière les rythmes savants et les sonores rengaines lyriques. Qu'on propose de démolir, et l'on trouvera toujours des bras. Voulez-vous que nous fondions une école qui n'aura d'autre but que de tout jeter bas ?... Ça vous fait peur ? » (P. 319.)

Strouvilhou récuse en bloc la littérature, et il incline le mot dans le sens péjoratif. La littérature sent mauvais ; elle est le domaine de l'affectation. Les sentiments qu'elle exprime n'ont rien d'authentique, ils ne reposent que sur des *conventions*. Strouvilhou dénonce un gonflement, une enflure — une inflation. Les valeurs d'expression et de représentation ayant cessé d'aller de soi, le régime de l'encaisse-or n'étant plus qu'une illusion, l'ancien langage est devenu une imposture. Seule la déflation, la démonétisation affirmée jusqu'à la négation de toute signification, permet de retrouver le vrai.

Ainsi Strouvilhou établit-il un lien implicite entre la *démonétisation du langage* (c'est-à-dire la reconnaissance claire de son *inconvertibilité*) et *la crise de la représentation*. La peinture a déjà abandonné le motif, elle renonce à reproduire l'objet. La littérature abandonnera tout sens, toute signification. Elle deviendra, elle aussi, non-figurative. *C'est la métaphore monétaire de la perte de toute convertibilité des moyens d'échange, qui nourrit les attendus formulés par Gide,* à travers le personnage de Strouvilhou, *pour démontrer l'impuissance et l'anachronisme de la représentation et de l'expression en littérature.* Métaphore économique soutenue, continuée, cohérente, et non pas ponctuelle. « Spéculation » réalisée par l'auteur, « inflation poétique », sentiments qui « sonnent faux comme des jetons, mais qui ont cours », adage économique (sur lequel nous insisterons) selon lequel « la mauvaise monnaie chasse la bonne », « offrir de vraies pièces » opposé à « se payer de mots », « démonétiser les beaux sentiments », les mots comparés à des « billets à ordre » — autant de métaphores qui homologuent la crise contemporaine du langage à une véritable banqueroute où les moyens d'échange monétaire ont perdu tout crédit, toute couverture.

Nous touchons là un des points vifs de notre enquête.

Que la monnaie, ne soit, en fin de compte, qu'un jeton, et le peu de sacralité civile qui lui restait s'évanouit dans la mascarade numismatique où le poids de la valeur et la valeur du poids ne comptent plus. Le jeton est une parodie de monnaie. Il est à la monnaie-or ce que le singe est à l'homme. Il l'imite en le ridiculisant. C'est une monnaie de singe. Dans le parallélisme étroit où monnaie et langage se métaphorisent, le *jeton de langage* sera solidaire d'une interprétation *nominaliste*.

## 2. La crise de la convertibilité

La distinction implicite entre un langage-or et un langage-jeton, qui soutient la métaphorisation gidienne, nous conduit à détailler notre analyse de la monnaie pour saisir le sens des métaphores monétaires du langage.

Mais où trouverions-nous meilleures analyses monétaires pour cette opération que celle de l'oncle de l'écrivain, Charles Gide, économiste réputé ? [1] Il nous faut prendre en compte cette parenté. Est-ce hasard si les deux Gide, l'oncle et le neveu, l'un dans le langage théorique de l'économie politique et l'autre dans celui de la fiction, sont inquiétés par le même objet monétaire ? Nous reviendrons plus loin sur

---

1. Professeur d'économie politique à l'Université de Montpellier, puis au Collège de France, Charles Gide (1847-1932) est l'auteur des *Principes d'économie politique* (1883), d'une *Histoire des doctrines économiques des Physiocrates à nos jours* (1913) et de nombreux ouvrages ou articles où se déclare sa sympathie militante pour l'école coopératiste, mouvement issu des idées de Fourier sur lequel il a publié une étude.

cette relation qui nous oblige à lire en même temps les *Principes d'économie politique* (1883) de Charles, et *Les Faux-Monnayeurs* d'André, à entrecroiser l'analyse de l'oncle et le roman du neveu, à considérer les échanges entre la monnaie de l'économiste et la monnaie de l'écrivain. Retenons pour l'instant une distinction précieuse, tirée des *Principes d'économie politique* de Charles Gide.

La monnaie se présente sous plusieurs aspects que l'on peut ordonner suivant une gradation, qui est aussi une dégradation. Il y a au moins quatre types de monnaie : la monnaie-or (ou argent), à pleine valeur intrinsèque ; le papier-monnaie *représentatif,* à convertibilité assurée ; le papier-monnaie *fiduciaire,* à garantie lacunaire ; le papier-monnaie *conventionnel,* nommé parfois « monnaie fictive », qui est inconvertible et ne circule qu'à cours forcé [2]. Au départ l'équivalent général est un petit lingot, fragment de trésor mis sur le marché. Finalement il n'est plus qu'un jeton de papier dont la valeur n'est qu'une pure fiction.

Un tel schéma de dégradation du moyen d'échange travaille, à n'en pas douter, la métaphore monétaire du langage dans *Les Faux-Monnayeurs.* Ce dont Gide prend acte implicitement, est que le langage littéraire n'est plus comparable à la monnaie-or, ni même à la monnaie de papier de type représentatif ; il s'est dégradé jusqu'au jeton sans couverture, monnaie conventionnelle, ou fictive. Cela lui apparaît comme un moment de l'histoire interne de la littérature. Et toute conception du roman ou de la poésie qui prétendrait encore reposer sur le langage-or, ou le langage-représentatif, serait nécessairement une littérature mensongère. Pourtant,

---

2. Nous revenons plus loin, d'une manière détaillée, sur la distinction faite par Charles Gide entre les trois sortes de papier-monnaie (« représentatif », « fiduciaire », « conventionnel »).

continuerait Gide, cette nécessité interne à l'histoire de la littérature, et qui constitue son moment actuel inéluctable (compte tenu de la crise des « valeurs » du monde bourgeois), n'est pas perçue par tous. Elle n'est encore ressentie que par une avant-garde créatrice qui tâtonne dans la recherche d'une littérature nouvelle. Dès lors, deux solutions se présentent pour l'écrivain qui entend mettre une monnaie de langage sur le marché.

Il peut avouer et revendiquer la banqueroute du langage, dénonçant l'illusion de convertibilité par une écriture qui se donne explicitement comme non-convertible. C'est la voie iconoclaste de Strouvilhou. Mais il peut aussi, et c'est la voie d'Edouard (représentant plutôt celle de Gide), feindre de rester dans le régime économique du langage-or ou du langage représentatif, tout en échappant, par un autre tour, à ce régime. La production de fausse monnaie est le résultat de cette ambiguïté, la solution choisie pour la maintenir. Monnaie apparemment fidèle au régime ancien de la circulation de l'or, mais en fait contre-façon ingénieuse qui dissimule une absence d'or. La fausse monnaie permet de donner le change, sur le marché des médailles, alors que déjà, elle n'est qu'un jeton, une monnaie conventionnelle, fictive, qui se révèlera comme telle à ceux qui sauront en user la superficie métallique.

Mais soyons plus explicite encore. A quelles conceptions précises du langage (et donc de la littérature) correspondent les quatre variétés de l'équivalent général circulant, que nous venons de compter dans l'ordre de *désincarnation* croissante du statut de la valeur ?

Un langage qui serait comparable à la *monnaie-or* serait un langage plein. En lui et par lui se donnerait immédiatement le réel, à la fois comme réel objectif du monde extérieur, et comme réel subjectif du monde intérieur. Ce langage serait *expressif* sur son versant subjectif de rapport à l'âme et aux autres, et il serait *descriptif* sur son versant de rapport au monde extérieur. Un tel langage-or formule immédiatement la vérité, et il dispense par conséquent, ceux qui en usent de s'interroger sur le *medium* linguistique. Il est pensé comme le véhicule adéquat du sens, ce par quoi se signifient pleinement l'âme et le monde, et cette plénitude de la signification langagière permet l'économie de toute interrogation sur la valeur du langage dans son rapport à l'être.

Si l'on considère maintenant un régime du langage où il est comparé au *papier-monnaie représentatif,* nous trouvons une autre situation. Dans ce cas, le rapport du langage à l'être commence à devenir problématique. De même qu'au niveau économique se pose la question de la *convertibilité,* c'est-à-dire de l'existence ou non d'une *encaisse* capable de constituer une couverture pour les jetons circulants, pareillement au niveau de la signification, la question de la valeur de vérité du langage va devenir aiguë. Le langage ne sera plus pensé comme exprimant pleinement (ou comme étant capable d'exprimer pleinement) la réalité, l'être ; il sera nécessairement conçu comme un moyen, un instrument, relativement autonome, à l'aide duquel il est possible de se faire une certaine représentation, plus ou moins exacte, de la réalité. Le risque de *spéculation* sans lien avec le réel ne sera plus pensé ici comme une simple déviation de l'intellect, mais comme le risque de tout langage lorsqu'il s'éloigne des conditions étroites de l'expérience. Autrement dit encore, la confiance métaphysique suivant laquelle l'Etre peut se dire dans le langage, disparaîtra peu à peu devant la notion moins rassurante que le langage est un *instrument* grâce auquel, compte tenu de certaines conditions (comme l'intuition et l'expérience), il est possible de donner une représentation valide de la réalité. Nous avons montré ailleurs comment une certaine inquiétude sur l'existence ou non d'une encaisse capable d'assurer la convertibilité du langage conceptuel se trahissait chez Schopenhauer ou chez Bergson en métaphores monétaires tout à fait explicites [3]. Ainsi Schopenhauer : « Le savant, lui, a sur les autres, l'avantage de posséder tout un trésor d'exemples de faits, etc. Mais l'intuition manque au savant ; aussi sa tête ressemble-t-elle à une banque dont les assignats dépasseraient plusieurs fois le véritable fonds. »

Lorsque le langage, en dernier lieu, n'est pensé ni dans un imaginaire de la monnaie-or, ni même dans un imaginaire du billet de banque convertible, lorsqu'il est identifié à la monnaie *conventionnelle* ou *fictive,* à cours forcé, alors, c'est un moment véritablement critique de la confiance dans la valeur du langage qui s'annonce. Cette crise touche la philosophie comme la littérature, et elle atteint aussi, et peut-être d'abord, la théorie même du langage. On peut affirmer qu'un des courants majeurs des théories contemporaines du langage, à savoir le courant qui part de Saussure et se développe dans le structuralisme linguistique, est tout entier fondé sur un imaginaire de l'*inconvertibilité.* L'affirmation de Saussure suivant laquelle la valeur en linguistique n'a pas de racine dans les choses et leurs rapports naturels, ou celle de Hjelmslev qui, rapprochant valeur marchande et valeur linguistique, énonce que dans la langue, il n'y a rien de comparable à l'*étalon,* correspondent fidèlement à une conception du langage qui ferait de lui l'homologue d'une monnaie conventionnelle. Rien n'enracine la valeur linguistique dans un dehors du langage. C'est pourquoi la langue est un *jeu ;* elle n'est qu'un système de rapports purs, un système relationnel et différentiel. Rien ne ressemble à la garantie du trésor ou de l'encaisse, ou à la mesure de l'étalon [4].

---

3. Cf. *Economie et symbolique,* p. 189 et suiv.
4. Voir sur ce point notre analyse des rapports entre langage et monnaie dans le texte « La réduction du matériel », 1971, recueilli dans *Economie et symbolique.* Voir aussi sur la question de la perte

C'est tout un imaginaire de la structure, de la relation pure, du jeu, de la convention, du pur symbole réduit à son opérativité mathématique, qui se dessine dans cette conception du langage. Cet imaginaire du *signifiant opératoire et autonome* constitue une configuration à la fois épistémologique, philosophique, idéologique et littéraire. Cette configuration cohérente marque la modernité ; et l'on pourrait facilement désigner toutes les conceptions théoriques et toutes les œuvres d'écriture qui, sous une forme ou sous une autre, en relèvent directement. Or, l'intérêt du roman de Gide est qu'il se constitue à une charnière : entre le souvenir nostalgique d'un langage-or ou d'un langage représentatif, et le pressentiment à la fois positif et négatif que ce langage n'est plus tenable, qu'il ne correspond plus aux conditions effectives de la circulation des signes. Dépasser le langage *couvert* vers un langage *sans couverture,* c'est abandonner toute illusion de réalité objective à refléter, ou de réalité subjective à exprimer. Et dès lors deux solutions : se porter carrément vers la construction *a priori* et abstraite (la fabrication d'un cristal qui ne renvoie qu'à sa régularité formelle et à sa cohérence relationnelle intrinsèque) ou bien en un mouvement apparemment opposé (mais qui appartient au même moment), prendre acte de l'absence radicale de tout trésor transcendantal du sens, dénoncer aussi l'illusion d'un référent extra-linguistique, pour affirmer tragiquement le *jeu,* la *dérive* d'un signifiant devenu insensé. Le versant constructiviste (qui renoue avec un idéalisme platonicien et kantien, mais sous la forme intellectualiste de la *structure*) et le versant tragique et destructeur (qui trouve dans la dérive insensée des

---

de l'étalon-or, *Les iconoclastes* (« Les étalons figuratifs : l'or, le phallus », p. 101 et suiv. et « Le symbole insensé », p. 161 et suiv.). Nous revenons plus loin sur la théorie « bancaire » du langage chez Saussure.

signifiants la mise en évidence sémiotique de l'affirmation nietzschéenne de la mort de Dieu — ce grand caissier de la banque centrale du sens), ces deux versants, donc, se trouvent « silhouettés » par Gide, dans les deux personnages d'Edouard et de Strouvilhou. Si le roman de Gide, malgré son hybridité, a un noyau de génialité, c'est dans la préfiguration d'un demi-siècle de problématique littéraire et de philosophie du langage. Car Gide a vu dès 1925 le problème auquel allait se heurter la littérature *dans un régime de non-convertibilité des signes.* Il a perçu que le romancier était dès lors voué à une réflexion sur le *medium* linguistique (à une écriture à la fois spéculaire et structuraliste) ou bien encore, radicalement, à l'affirmation de l'insensé du langage.

Par ailleurs, que Gide utilise la métaphore de la valeur *économique* (monétaire) comme métaphore centrale (pour toutes les autres *valeurs*), nous paraît éminemment significatif d'un développement social où toutes les significations religieuses, esthétiques, éthiques, philosophiques, tendent à perdre leur épaisseur propre et leur apparence d'autonomie, pour laisser place à la perception crue d'une liaison directe entre la vie économique et la vie intellectuelle. Le romancier inventé par Gide (et Gide lui-même) est *saisi* par la perception *économiste* du monde. « Les idées de change, de dévalorisation, d'inflation, peu à peu envahissaient son livre (...) où elles usurpaient la place des personnages. » (P. 238.) Il ne fait aucun doute que le roman de Gide — au-delà des particularités de l'auteur (protestant, et neveu d'un célèbre professeur d'économie politique) est le symptôme d'un effondrement de certaines médiations idéologiques profondes entre la vie économique et la vie tout court. L'existence tend à se réduire à la vie économique. On assiste à une économie-politisation de la totalité du vécu. Et c'est bien pourquoi le romancier de Gide (et Gide lui-même) *ne* peut *pas* écrire un *vrai* roman. Car un vrai roman suppose une psychologie et une métaphysique, un rapport complexe à des valeurs éthiques, religieuses, philosophiques, en tant qu'elles apparaissent (à tort ou à raison) comme relativement autonomes par rapport au fonctionnement économique. Le roman de Gide marque (ou préfigure) le moment où *l'économisme* devient la seule conception du monde que la société moderne puisse engendrer.

Il importe de souligner que Gide a bien conscience de la *temporalité historique* dans laquelle s'inscrivent à la fois le sujet et l'écriture de son roman. Il l'écrit *après* la Première Guerre mondiale, mais en le situant *avant* cette guerre. Or entre cet « avant » et cet « après », des bouleversements considérables et irréversibles ont eu lieu, notamment dans le système économique, et notamment encore, solidairement, dans le système monétaire. Car c'est précisément à cette époque (avec la guerre de 1914) que disparaît en France la monnaie-or, et qu'en Angleterre (en 1919) commence la mise en circulation de billets de banque sans couverture-or. Le régime de la non-convertibilité devait être provisoire, mais la convertibilité ne fut en fait jamais rétablie. Or le 30 juillet 1919, dans son *Journal des Faux-Monnayeurs* commencé en juin 1919, c'est-à-dire dans l'immédiate après-guerre et poursuivi jusqu'en 1925, date à laquelle il considère son roman comme terminé, Gide écrit ceci : « *Toute l'histoire des fausses pièces d'or peut arriver seulement avant la guerre, car à présent les pièces d'or sont* out lawed. » Cette remarque est extrêmement significative de la conjoncture dans laquelle se situe toute l'écriture des *Faux-Monnayeurs* : le roman est conçu au moment même où intervient une rupture qualitative dans le mode d'échange économique mais est situé fictionnellement à un moment historique où la monnaie-or est *encore* en vigueur. C'est donc le *décalage* entre le passé et le présent, entre ce qui disparaît et ce qui vient, concernant le statut de la chose monétaire, qui travaille la fiction de Gide. Même si le roman se passe nécessairement avant-guerre, à une époque où les pièces d'or circulent encore, il est foncièrement hanté par la disparition de la monnaie-or et le régime de la non-convertibilité. Situé au point de rupture entre deux régimes d'échange, il exprime la contradiction entre un attachement persistant et nostalgique pour la circulation de l'or, et une acceptation réaliste, ou plutôt théorique, pour la nouveauté vertigineuse de l'inconvertibilité.

Aussi bien formellement que thématiquement, nous retrouvons cette contradiction dans tout le roman. La surdétermination qui fait virer le régime esthétique et tout le mode de symboliser de la représentation à l'abstraction, ne se réduit certes pas à une conjoncture *monétaire*. Mais la conjoncture monétaire est elle-même la manifestation aiguë d'une transformation profonde des interactions *sociales*. Ainsi le changement du statut de la monnaie, au début du xxᵉ siècle, que Gide enregistre explicitement dans son *Journal des Faux-Monnayeurs*, n'est pas sans rapport avec le passage de l'économie libérale concurrentielle à une économie plus monopoliste. Il y a un lien étroit entre la régulation étatique du marché et le jeton inconvertible. Dès l'instant où la monnaie circulante n'a plus qu'une fonction de pur signe conventionnel, sa valeur arbitraire est entièrement suspendue aux régulations gouvernementales. Le passage de la monnaie-or à la monnaie de papier, puis à la monnaie inconvertible, est donc solidaire d'un accroissement qualitatif du rôle économique de l'Etat [5]. Et il se trouve qu'effectivement la disparition de la monnaie-or en France et en Angleterre est strictement contemporaine du passage, souvent décrit d'une économie libérale à une économie monopoliste, dans les pre-

---

5. Cf. dans la deuxième partie : « La loi et le trésor ».

mières décennies du xxᵉ siècle. Dans cette phase nouvelle, la monnaie peut être définie carrément comme « instrument de politique gouvernementale » alors que « les économistes orthodoxes du xixᵉ siècle auraient frémi de cette définition [6] », même si la monnaie dans le passé avait pu donner lieu déjà à des manipulations complexes du pouvoir.

La subordination de l'industrie à l'appareil *bancaire* (la domination de plus en plus marquée du secteur industriel par les établissements financiers) est une caractéristique connue de cette nouvelle phase du capitalisme, en opposition avec l'importance du capital industriel pendant la phase classique du xixᵉ siècle. Cette transformation s'exprime immédiatement dans le statut de la chose monétaire. Ce sont les *opérations bancaires sur les valeurs* (et donc les procédures concernant la monnaie *scripturale*) qui non seulement dominent largement sur tout autre échange monétaire, mais qui jouent un rôle de premier plan dans la production des marchandises pour le marché.

Ainsi le passage de la monnaie-or à la monnaie-jeton constitue l'un des effets dans le champ des échanges d'une transformation structurelle de la formation sociale. En s'attachant à cette différence monétaire, et à tous ses homologues signifiants, dont celui du langage, Gide enregistre une rupture majeure du mode de symboliser. Ce n'est rien moins que la fin de la domination de tous les rapports par l'équivalent général *incarné,* ce n'est rien moins que le déclin de la légitimation idéologique par l'échange d'équivalent (qui fait système, nous y reviendrons, avec le régime de la *représentation*) et la naissance d'une nouvelle forme de légitimation, qui travaille la fiction gidienne.

---

6. P. Vilar, *Or et monnaie dans l'histoire,* Flammarion, coll. Champs, 1978, p. 24.

# 3. La loi de Gresham

Gide a multiplié, surtout dans la première partie du livre, les opérations qui mettent en jeu l'échange concret de billets ou de pièces, et qui font apparaître en même temps les rapports entre les personnages comme médiatisés par une abstraction : la valeur monétaire. *Poche, tiroir, porte-feuille, armoire, gousset* : lieux physiques d'où l'argent sort ; ou bien où il retourne. *Prêt, jeu, achat, aumône, don, placement, dot* : autant de transactions où le rapport entre les sujets se définit comme relation (quantifiable) à une somme d'argent, jusqu'à s'y réduire. Mais il ne s'agit pas seulement de formulations isolées. Des séquences entières du roman pourraient se formaliser à partir de pures relations monétaires, même si une plus-value affective ou éthique détermine le sens vectoriel de ces flux quantitatifs.

Ainsi, l'un des fils narratifs les plus marqués s'indique par une série orientée de conjonctures monétaires. L'intrigue se déroule suivant une certaine logique d'argent qu'on peut schématiser comme suit : 1/ la mère de Vincent lui a donné cinq mille francs (pour faciliter le début de sa carrière) ; 2/ il aurait dû avec cette somme fournir une assistance à sa maîtresse Laura, dans la détresse ; 3/ mais Vincent perd cette somme dans un salon de jeu ; 4/ Robert de Passavent, qui se sent responsable de cette perte, lui donne la même somme de cinq mille francs, à mettre en jeu de nouveau ; 5/ Vincent gagne au jeu cinquante mille francs ; 6/ il s'attire, pour ce beau coup, l'admiration amoureuse de Lilian (Lady Griffith) ; 7/ il peut de nouveau donner de l'argent à Laura, mais c'est maintenant pour rompre avec elle, etc. Il apparaît ainsi que l'enchaînement narratif, sur de longues sections du roman, suit le fil d'une circulation de valeur qui commande aux relations successives des personnages. L'histoire obéit à une logique monétaire.

Comme pour redoubler sur un autre registre ce circuit de valeur, se trame l'affaire du trafic des fausses pièces. Nous sommes, ici encore, au niveau de « l'effet de réalité » produit par la représentation romanesque : un faux-monnayage « réel » est raconté dans *Les Faux-Monnayeurs* ; intrigue qui pourrait suffire à justifier le titre, si ce faux-monnayage « réel » n'occupait, malgré tout, une place marginale dans l'intrication des histoires, et si cette marginalité n'était accentuée par la manœuvre du faussaire qui fait de l'écoulement des pièces presque un jeu d'enfant. Ce niveau a cependant une place signifiante majeure. Il fait lui-même partie du procédé de « mise en abyme » : comme si un effet de réalité s'inscrivait *en coin,* pour fournir le référent objectif des séries métaphoriques que constituent les faux-monnayages linguistiques, éthiques, paternels.

En même temps, dans ce roman dont Gide disait qu' « il ne doit pas être nettement délimité, mais plutôt dispersé, désintégré » [1], tout se passe comme si la circulation des

---

1. *Journal des Faux-Monnayeurs,* 8 mars 1925.

fausses pièces d'or établissait une *communication* entre les personnages distants. La fausse monnaie est le *medium universel* qui rattache l'une à l'autre des individualités aux liens lâches. Ainsi Strouvilhou, source du faux-monnayage, fait écouler les contre-façons de dix francs par de jeunes garçons, fils de bonnes familles. Le juge Profitendieu, qui est le faux-père de Bernard, enquête sur ce trafic. Une des pièces parvient à Edouard, par l'intermédiaire de Bernard, et devient l'image de son travail de faux-romancier. L'écrivain reçoit la visite de maître Profitendieu : le jeune Georges, fils du président Molinier, dont Edouard est le beau-frère, est compromis ; et Profitendieu désire pour cela étouffer l'affaire. Edouard, à qui « il arrive rarement de tirer un parti direct » pour son écriture, de ce que lui apporte la vie, doit reconnaître, là encore, que « l'histoire de la fausse monnaie, telle que me l'avait rapportée Profitendieu ne pouvait m'être, me semblait-il, d'aucun usage » (p. 453). Il avertit son neveu Georges et ses copains qu'ils doivent cesser le trafic au risque d'être arrêtés. Les enfants jettent ce qui leur reste de pièces, et Strouvilhou averti, prend des mesures aussitôt.

Dans ce tissu de rencontres et de répercussions, le nœud le plus fort est la scène aiguë, médiane, dont nous sommes partis de « l'explication des idées sur le roman ». En un même objet circulant se recroisent le faux-monnayage affectif et celui, métaphorique dont il sert d'image.

Strouvilhou est à la fois le faux-monnayeur réel, le directeur de revue iconoclaste qui veut démonétiser le langage, et le nietzschéen intransigeant qui prétend s'affranchir de toutes les valeurs du troupeau. Son faux-monnayage prend l'allure d'une *escroquerie* caractérisée, fondée sur le mépris individualiste de toutes les valeurs de communauté. Il ne voit partout que des conventions produites par une *masse* d'hommes, c'est-à-dire une « addition d'unités sordides » qui ne saurait donner « un total exquis » (p. 412). C'est de la haine féroce pour tous principes collectifs, que procède son éthique de faussaire.

Puisque « la mauvaise monnaie chasse la bonne » pourquoi n'en pas produire de la mauvaise pour dominer sur le marché ? Or le plus précis commentaire à l'adage qu'énonce Strouvilhou se trouve dans telle page des *Principes d'économie politique* de Charles Gide. « *Dans tous pays où deux monnaies légales sont en circulation, la mauvaise monnaie chasse la bonne.* » En ces termes est exprimée l'une des lois les plus curieuses de l'économie politique.

André reprend là mot pour mot la sentence (la loi) analysée par Charles. Il n'est pas question d'évaluer la dette du romancier à l'égard de l'économiste. Le débit du neveu pour cet oncle qui lui tint lieu de père à la mort prématurée de celui-ci. Mais la mise en regard des deux œuvres ne saurait pourtant, sans autre spéculation, manquer d'enrichir notre lecture.

Que signifie donc « la mauvaise monnaie chasse la bonne » ? Surprise : les emprunts entre l'économie et la littérature se montrent ici à double sens, il y a un chiasme entre fiction littéraire et économie. Charles Gide souligne en effet dès l'entrée de son analyse que bien avant Gresham, contrôleur des Finances de la reine Elizabeth, Aristophane, dans *Les Grenouilles,* avait signalé et judicieusement analysé, le fait curieux dont cette loi rend compte. Maniant la métaphore monétaire, Aristophane, cité par Ch. Gide, énonce ceci : « Le public a souvent semblé se comporter à l'égard des plus sages et des meilleurs de nos citoyens, de la même façon qu'avec des vieilles et des nouvelles pièces de monnaie. Nous n'utilisons pas ces dernières du tout, excepté dans nos propres maisons et à l'étranger, bien qu'elles soient du plus pur métal et les plus belles à regarder, et les seules qui soient bien frappées et tournées, au contraire, nous préférons utiliser des pièces de mauvais cuivre, frappées et estampées de la façon la plus abominable. » (*Les Grenouilles*, 718-726.)

Voulant signifier que les citoyens médiocres font une carrière bruyante sur l'agora, où ils circulent interminablement, entrant et restant dans le commerce social malgré leur peu de valeur, tandis que les meilleurs restent chez eux, chéris par leurs proches (ou qu'à l'inverse, ils sont frappés d'ostracisme et doivent quitter la cité pour se faire valoir ailleurs), Aristophane emploie une métaphore économique très calculée qui énonce en elle-même une loi propre à la circulation des pièces de monnaie.

Mais pourquoi la bonne monnaie ne sert-elle que « chez soi » (pour la thésaurisation) et « à l'étranger », alors qu'elle est rendue absente de la circulation la plus courante ?

Ceux qui veulent amasser des pièces pour une situation éventuelle d'urgence, explique Charles Gide, gardent les meilleures pour eux, et remettent les moins bonnes dans la circulation. Ainsi, ceux qui voulaient conserver de l'argent pendant la Révolution française ne gardaient pas les *assignats* mais les *louis d'or*. Une quantité considérable de bonne monnaie disparaissait ainsi aux moments critiques et l'envahissement par les assignats ne faisait que grandir... La mauvaise monnaie (ces billets dont la valeur était assignée sur les biens nationaux, et qui eurent non seulement cours légal mais aussi cours forcé, avant qu'une immense banqueroute ne précipite leur dépréciation) repoussait dans le secret des coffres individuels l'or brillant et pesant, masse monétaire non-circulante — ou qui attendait qu'un créditeur étranger refuse tout autre moyen de paiement.

Le chiasme, c'est que Strouvilhou applique la même loi au rapport du public à la littérature. Ce qui circule le mieux, et plus vite, c'est une forme de langage chargé d'un sens conventionnel, exprimant des « sentiments admis ». Le lecteur y adhère parce que c'est écrit, et qu' « il croit tout ce qu'on imprime ». C'est l'écriture, la lettre, la chose imprimée, qui semble garantir la valeur comme l'assignat n'est qu'un imprimé, auquel on fait crédit. L'auteur spécule sur ces conventions (p. 319) comme l'autorité émettrice qui exploite la confiance que l'on doit à ce qui s'entoure des signes de la légalité. Ainsi, bien qu'il soit chargé d'un sens creux, inauthentique, le crédit fait à la lettre assure le cours de ce langage. Davantage encore, cette convention rendrait incroyable, suspecte, une authentique monnaie. Elle serait chassée à la périphérie de la circulation langagière, refoulée hors du marché des significations établies. Seuls les mauvais jetons tiennent le cours. Par une inversion scandaleuse et pourtant permanente, c'est la monnaie authentique qui est suspectée d'être fausse, car elle est rare ; et c'est la monnaie courante, celle qui passe conventionnellement pour bonne, qui est fausse.

Cette dialectique détermine la stratégie de Strouvilhou. Elle le conduit à ne pas essayer de faire entrer sur le marché du langage, de la vraie monnaie (une littérature qui sonnerait juste) car elle serait dénoncée comme falsification, et refoulée bientôt hors du commerce dominant. Ce qu'il propose, c'est une littérature à coups de marteau. Strouvilhou, à qui Gide fait proférer sur un ton sans réplique des propos nietzschéens, hait la *grégarité* du langage ; ce qui incline nécessairement le sens des mots vers ce qui est moyen, commun, statistique, vers la perspective du troupeau. Et s'il est inévitable que tout sens devienne communautaire, conventionnel, alors le seul acte possible consiste à « démolir », à « tout jeter bas »[2].

---

2. Une métaphore d'Ernst Jünger rejoint cette loi linguistique de Gresham, mais en la prenant par une autre entrée. Que se passe-t-il, se demande Jünger, « quand l'esprit dédaigne de se monnayer et d'avoir cours ? ». Il gagne, pense-t-il, en pureté et en richesse, car « l'inexprimable s'avilit en voulant s'exprimer et se rendre commu-

Le Strouvilhou de Gide ne promet pas la mise sur le marché d'un nouveau trésor de significations — par la découverte d'un Pérou poétique, ou d'un nouveau gisement aurifère dans les couches encore mal explorées de l'âme. Il ne s'agit pas avec « ces billets à ordre » que sont les mots, de renouveler l'engagement à payer, de rendre plus crédible l'existence d'une couverture-or, capable de garantir à terme le paiement des billets.

Ce qu'il faut, au contraire, c'est précipiter l'inflation, proclamer la démonétisation. Assumer, comme un facteur voulu et revendiqué, l'absence de toute signification profonde, de tout signifié transcendantal derrière la circulation folle des billets imprimés. La poésie renoncera ainsi à *représenter* quoi que ce soit ; et même à *signifier,* quoi que ce soit. Assignat flottant, devenu signe sans assignation. Signe sans vouloir-dire. « Je ne demande pas deux ans pour qu'un poète de demain se croit déshonoré si l'on comprend ce qu'il veut dire » (p. 320). Le poétique ne sera plus la visée vers un sens plus authentique. Devant le faux-monnayage universel de l'expression des sentiments, une seule stratégie, celle du nettoiement : « Seront considérés comme anti-poétiques, tout sens, toute signification. » (P. 320.)

Rage nietzschéenne de nihilisme positif, qui précipite *l'épuration* langagière en prônant à outrance, jusqu'à l'absurde, la mise en circulation des signifiants inconvertibles. Et c'est pourquoi aussi, dans l'intrigue thématique du faux-monnayage, c'est Strouvilhou qui fabrique et diffuse la fausse monnaie.

Mais il n'est pas certain que le Strouvilhou de Gide

nicable, il ressemble à l'or qu'on doit mélanger de cuivre si l'on veut qu'il serve aux échanges ». *Le Cœur aventureux,* Gallimard, 1979, p. 10.

exploite jusqu'au bout le filon métaphorique offert par la loi de Gresham dans son application à l'échange signifiant. Dans ce double rejet du sens vrai par la circulation courante, à la fois vers l'Intérieur et vers l'Extérieur (vers le trésor caché, individuel, et vers une altérité qui dépasse les autruis couramment fréquentés), on pourrait découvrir une loi de l'économie langagière qui en apprend beaucoup sur ce qui est nommé l'Inconscient et sur le Transfert — le transfert de fonds, et du fond. Que les significations individuelles authentiques ne puissent jamais se négocier entièrement sur le marché trivial du langage mais soient forcément retenues dans le coffre-fort de l'intériorité, ou au contraire ne puissent se métaboliser que par-dessus la tête des autruis quotidiens vers l'Etranger, qui ne saurait se payer de fausse monnaie, c'est là une disposition énigmatique de l'économie des signifiants dont on ne voit pas sans surprise qu'elle appartient à une logique plus générale de l'échange. S'il y a de l'Inconscient et s'il y a de l'Autre, c'est peut-être que, par une loi de l'échange signifiant aussi impérieuse qu'une loi de l'économie politique, *la mauvaise monnaie chasse la bonne,* à savoir qu'entre les significations vécues, ce sont toujours et seulement les *moindres* qui, par définition même, peuvent venir en position d'équivalent général effectif dans la circulation courante. Dès lors, l'Inconscient *est* ce trésor des significations non-métabolisables, la « bonne » monnaie retirée du commerce linguistique où n'entrent que les jetons rapides des échanges quotidiens. Ce n'est éventuellement que dans le rapport extraordinaire à l'Etranger (l'Autre) qui transcende les frontières où règne le cours forcé des monnaies conventionnelles, que cette monnaie authentique devra ressortir des caves bien gardées de l'intériorité. Car l'Autre n'accepte que la bonne monnaie. Et c'est cela exactement que l'on appelle, en psychanalyse, le transfert. L'Autre dans le marché des signifiants est le partenaire transcendant d'un *commerce extérieur* où peut se négocier exclusivement la vraie monnaie signifiante.

Une loi de Gresham *généralisée* se dégage de ces multiples mises en connexion homologiques. Elle s'applique aux sujets humains (Aristophane), et au langage (Strouvilhou). De même que *sujets, objets,* et *signes,* paraissent relever de certaines structurations de l'échange qui leur sont communes, ils sont entraînés dans une circulation dont la loi est unique. La loi de Gresham n'est pas seulement économique, mais concerne l'échange en général — la communication.

# 4. Une fiction numismatique

Que la monnaie puisse venir, comme c'est le cas dans le roman de Gide, en position intitulante, et faire fonction de métaphore centrale, cela n'est complétement intelligible que par des considérations de structure. C'est dire qu'il faut renoncer à identifier la *monnaie,* qui institue un certain type de relations s'inscrivant dans un système, avec l'*argent,* comme simple puissance quantitative, pouvoir d'achat chargé d'une valeur affective. Si la monnaie peut devenir métaphore du *langage* (et de bien d'autres choses encore, un certain statut de la valeur et du sens) c'est qu'elle constitue une *forme* déterminée de la valeur économique, et que cette forme est susceptible elle-même d'un certain nombre de modalités historiques très précises. Il faut donc dépasser la notion confuse et affective d' « argent » (toujours située dans le registre de la dépense et de l'acquisition) pour accéder à celle de monnaie, comme structure qualitativement déterminée de l'échange [1]. Ce n'est qu'à ce prix que l'ensemble de tous les registres que la monnaie est capable de métaphoriser (car elle présente une structure homologue) pourra nous apparaître.

Or, c'est un tel déploiement de tous les registres structuraux offrant la forme « équivalent général » de la valeur, quel que soit le type de valeur, que nous avions entrepris dans le texte intitulé *Numismatiques* [2]. Partant des étapes logico-historiques qui dessinent la genèse de la forme monnaie, c'est-à-dire de la forme « équivalent général » des échanges économiques, nous montrions que la même genèse structurale (avec ses quatre phases principales : 1/ forme simple, 2/ forme développée, 3/ forme générale, 4/ forme monnaie) pouvait se retrouver à des niveaux très différents les uns des autres quant aux « valeurs » échangées. Ce n'est pas seulement la monnaie-or, montrions-nous, qui fait fonction d' « équivalent général », mais aussi, dans des registres où il ne s'agit plus de valeur économique mais d'autres types de valeur, la *langue*, le *père*, et l'élément signifiant désigné comme *phallus* dans la dialectique de l'inconscient. L'OR, le PÈRE, le PHALLUS et la LANGUE nous apparaissaient ainsi, dans une logique généralisée des échanges et des valeurs, occuper des places et des fonctions tout à fait homologues, celles d'équivalents généraux des échanges. Une telle homologie, qui permettait de donner à la notion d'équivalent général une extension tout à fait nouvelle, hors du champ des échanges et des valeurs économiques, prouvait sa cohé-

---

1. Sur la différence entre argent et monnaie, cf. notre texte « Remarques sur le mode de symboliser capitaliste » in *Psychanalyse et politique*, Ed. du Seuil, 1974. L'interprétation freudienne de l'argent dans sa signification « anale » ne saurait concerner la monnaie. Nous montrons dans *Numismatiques* son homologie structurale avec le dispositif phallocentrique.
2. Cf. *Économie et Symbolique*, Le Seuil, 1973.

rence et sa fécondité par une approche historique qui étayait la solidarité des différents champs mis en comparaison.

Il nous est difficile de revenir ici sur tous les tours et les détours par lesquels nous en venions à affirmer successivement que : le Père est l'équivalent général des *sujets,* la Langue est l'équivalent général des *signes,* le Phallus est l'équivalent général des *objets,* d'une façon structurellement et génériquement homologue à l'accession progressive d'un élément unique, l'Or, au rang d'équivalent général des *produits.* C'est la forme *mono* (monocentrisme, monovalence) des substitutions, des échanges, dans le mode de symboliser occidental qui est ainsi analysée dans sa structure et sa genèse.

Si nous souhaitons en remettre en mémoire ici la complexe formulation, c'est que *Les Faux-Monnayeurs* de Gide, on l'aura compris, apparaît comme un champ particulièrement exemplaire pour en démonter l'application, en même temps qu'en conforter en retour la vérité. Le roman de Gide se présente comme la fiction de cette numismatique théorique. *Il a pour sujet radical la crise historique de la forme équivalent général.* C'est dire la crise de la forme-valeur dominante du monde bourgeois. On comprend donc ici l'intérêt théorique que nous y portons même si par ailleurs cet œuvre ne nous satisfait pas entièrement dans le parti pris esthétique qu'elle véhicule [3]. En faisant reposer le roman, dès l'intitulé, sur la métaphore monétaire et en y subordonnant toute question des « valeurs » et du « sens » (des valeurs devenues fausses), Gide interroge l'homologie entre tous les registres de l'équivalent général. Avant tout, comme il se doit pour une fiction de littérature réflexive, c'est l'homologie

---

3. Mais là encore c'est une des ruses presque avouée de ce livre de miser sur l'intérêt théorique (la monnaie de cristal, et non pas d'or).

entre *monnaie* et *langage* qui constitue le noyau le plus solide de la métaphore. Nous y avons déjà insisté, et nous y reviendrons encore. Mais ce ne sont pas les deux seuls registres des équivalents généraux qui soient concernés. Nous allons à présent, en tirant quelques fils thématiques qui tissent leur figure sur toute l'étendue de la fiction, montrer que les autres registres que *Numismatiques* repère, ne sont pas absents, et qu'ils sont entraînés dans la même conjoncture critique que le langage et la monnaie. Car si la vérité du langage se trouve contestée en même temps que la vérité de l'or, c'est aussi la *vérité du père* qui est mise en cause. Le faux-monnayage est aussi avec insistance, et même d'abord, la *démonétisation de la valeur de paternité*.

Dans le roman de Gide les pères ne sont pas absents. Ils sont au contraire partout présents. Mais ils ont perdu leur légitimité. Les signes de la paternité se sont détachés de l'être-père. Les signifiants émis par les pères ne renvoient plus à une Vérité qui dépasse leur apparence de signes et qui en constitue la garantie transcendante. Telle est la suspicion gidienne. Et l'on voit le rapport étroit entre cette suspicion centrale et une certaine crise de légitimité langagière *et* monétaire que Gide a su faire étroitement correspondre à celle-là. *Langue, monnaie, père* : c'est en même temps, et suivant des attendus qui peuvent se métaphoriser l'un par l'autre dans un jeu de renvoi homologique, que se dit leur crise fondamentale, qui est celle d'une *forme* historique de la valeur. La fausseté *monétaire* devient l'intitulé de la crise de la forme-valeur dominante, qui atteint aussi le langage et le père.

Plus précisément, si l'on peut homologuer, comme nous l'avons montré dans *Numismatiques* [4], le *père* et la *monnaie,* en tant qu'ils sont tous deux des équivalents généraux (l'un

---

4. Cf. *Economie et Symbolique.*

pour les sujets, et l'autre pour les objets) il est nécessaire pour analyser la place et le déplacement de la paternité dans *Les Faux-Monnayeurs* de distinguer entre les trois fonctions de l'équivalent général.

Reprenons ici, pour la prolonger, une analyse commencée dans *Numismatiques*. On peut considérer que le métal précieux devenu monnaie, à l'issu d'un développement des formes de l'échange, remplit dès lors trois fonctions tout à fait différentes : 1/ celle de *mesure des valeurs* ; 2/ celle de *moyen d'échange,* et 3/ celle de *moyen de paiement* ou de *thésaurisation.* Cette distinction nous paraît d'une importance décisive, et qui n'a jamais été mise à profit, pour saisir dans toutes ses implications la logique des échanges, et pour établir des parallèles avec les formes non-économiques de l'équivalent général — par exemple le langage et la paternité. C'est elle qui fonde la différence entre l'*archétype,* le *jeton,* le *trésor,* dont la signification dépasse de très loin l'échange économique.

Ce qui apparaît en effet est que ces trois fonctions de l'équivalent général se situent dans des registres ontologiques bien différents.

1/ En tant que l'or est *mesure des valeurs,* il n'est pas nécessaire qu'il soit présent et disponible. Il est possible, par exemple, d'apprécier la valeur de telle ou telle marchandise en *unité* d'or, sans que l'or qui sert à cette mesure intervienne réellement. Il suffit que la quantité d'or qui sert d'unité soit constante, comme un *étalon* auquel chacun peut se référer. Ainsi, dit Marx très clairement, « l'expression de la valeur des marchandises en or étant tout simplement idéale, il n'est besoin pour cette opération que d'un or idéal, ou qui n'existe que dans l'imagination »[5]. Les

---

5. MARX, *Le Capital,* Costes, t. I, 1849, p. 121.

termes « d'or imaginé » ou encore de « monnaie idéale », employés par Marx caractérisent bien ce registre spécifique. La difficulté commence lorsqu'il s'agit de donner un nom précis à ce registre de la mesure des valeurs. Doit-on le désigner comme celui de l'*idéal,* ou comme celui de l'*imaginaire,* les deux termes (idéal et imagination) étant ici employés simultanément dans l'analyse de Marx. Dans notre première analyse nous n'avions pas suffisamment affronté cette question, identifiant d'une part ce registre à celui de l'imaginaire (au sens lacanien) tout en maintenant qu'il n'était pas sans rapport avec un monde des « idées », des formes, des modèles, des images, c'est-à-dire finalement de l'*eidos,* en un sens platonicien [6]. Il nous semble à présent que c'est en effet dans cette direction-là qu'il conviendrait de désigner ce registre. Le terme d' « imaginaire » suggère un moindre être, ou une secondarité, qui n'appartient nullement à cette fonction de mesure. Pour être idéale, elle n'est pas imaginaire, au sens d'onirique ou de fictif. Il conviendrait même de souligner que la fonction assurée par l'étalon monétaire, cette fonction de mesure des valeurs, a un rapport étroit avec le site des *archétypes.* Il est remarquable que la polysémie du mot « archétype » atteste très directement de ce lien. Il n'est nullement besoin de solliciter les concepts pour affirmer que l'étalon de mesure rempli la fonction d'archétype. Tel est en effet la définition du mot archétype : « Modèle sur lequel on fait un ouvrage matériel ou intellectuel. *Etalon des monnaies,* poids et mesures [7]. » La monnaie-archétype est une certaine quantité de métal précieux dont la valeur « intrinsèque » sert d'unité de mesure pour apprécier comparativement tout autre bien ou travail. Il est tout à fait remar-

---

6. *Economie et Symbolique,* p. 95.
7. Définition proposée par le dictionnaire Larousse, 1948.

quable, soulignons-le dès à présent, qu'historiquement c'est sous la forme de la monnaie-archétype et non pas sous la forme de la monnaie circulante qu'est apparu d'abord l'équivalent général. L'étalon comme unité de mesure, précède de très loin la pièce de monnaie comme moyen d'échange. Ainsi dans l'Egypte ancienne, malgré l'apparence de troc (échange direct des marchandises entre elles) existe une unité de mesure idéale qui permet d'évaluer ce qui s'échange. L'étalon immobile, qui transcende tous les échanges réels, constitue l'unité archétype qui peut mesurer les biens et les services sans être lui-même présent comme bien. Nous pouvons dire que si dans le domaine des valeurs économiques la monnaie-archétype, cet étalon unique et immobile (placé en général *au sanctuaire*) et qui régit les échanges sans y participer, précède logiquement et historiquement la monnaie circulante, de la même façon, dans le domaine des significations, l'archétype (cette fois au sens platonicien) précède le *concept,* qui est un produit de l'échange. Nous reviendrons plus loin sur l'archétype. Ajoutons cependant que cette précession ne signifie nullement que la fonction d'archétype de l'équivalent général puisse être supprimée et dépassée par sa fonction dans l'échange, mais elle peut être secondarisée.

2/ La deuxième fonction de l'équivalent général, que nous devons à présent considérer est celle de *moyen (ou instrument) d'échange.* Ici la monnaie devient circulante. L'équivalent général (sous la forme par exemple d'une pièce d'or) prend part directement au marché. La monnaie n'a pas seulement une fonction d'évaluation, mais elle est le *medium* qui permet d'effectuer les échanges réels. Pourtant, et c'est là un trait remarquable de la monnaie considérée comme simple instrument d'échange, la matière de cette monnaie devient peu à peu indifférente, et elle peut être *remplacée* par n'importe quel signe ou jeton. Ainsi si l'équivalent général, dans sa fonction de mesure est *archétype,* il tend à devenir *jeton* dans sa fonction de moyen d'échange. En tant qu'intermédiaire des échanges la monnaie n'a en effet qu'une existence symbolique, et des symboles conventionnels peuvent la remplacer — des jetons sans valeur intrinsèque. Il s'agit là d'un registre spécifique ; celui du symbolique (au sens du symbolique pur).

3/ Enfin, troisièmement, il y a certaines fonctions où l'or doit se présenter dans son corps métallique comme équivalent réel des marchandises ou comme marchandise monnaie. C'est dans sa fonction de *moyen de paiement ou de thésaurisation.* Lorsqu'il s'agit de payer (non pas sur le marché quotidien, mais dans une transaction où ne sont plus acceptés les jetons conventionnels) ou mieux encore lorsqu'il s'agit d'accumuler un trésor dont la valeur sera considérée comme *réelle,* et non pas dépendante d'un accord passager, l'or est requis *en personne,* et non plus sous sa forme idéale ou sous sa forme purement symbolique. Il s'agit là d'un nouveau registre que l'on peut désigner comme celui du *réel.* Dans ce cas ce n'est plus une monnaie-jeton qui peut faire l'affaire, mais seulement la monnaie en tant qu'elle est elle-même marchandise, et précisément, comme le disent certains économistes, fragment de *lingot.* Il s'agit donc d'une monnaie-trésor.

Ainsi au terme d'une analyse des trois fonctions de l'équivalent général, nous avons rencontré trois registres d'existence possible de la monnaie (idéalité, symbolicité, réalité) que nous pourrions aussi rattacher à trois modalités différentes de la chose monétaire : l'*archétype,* le *jeton,* le *trésor.*

On ne saurait sous-estimer l'importance de ces distinctions pour une analyse socio-symbolique des phénomènes historiques, ou d'une approche herméneutique, plus particulièrement à partir d'une analyse du statut de l'*échange* (au sens généralisé qui implique une conception élargie de la *communication*). Il semble que Marx ait manqué ici l'occasion de produire une théorie plus fine et non-réductrice des liens entre l'échange et la conscience sociale, même s'il a reconnu les « subtilités théologiques » qui s'attachent à l'analyse de la forme monnaie. C'est qu'il devient possible, à partir de la distinction entre ces trois registres, de penser non plus seulement l'idéologie comme un *contenu* d'idée, de notions, de conception, mais la disposition par laquelle dans une formation sociale donnée se nouent, spécifiquement, les rapports entre l'idéalité, la symbolicité et la réalité. C'est le mode de constitution ou de construction du « réel » qui pourrait être saisi, à partir des relations réciproques entre ces trois fonctions, telles qu'elles le donnent dans l'échange, c'est-à-dire dans le mode de « communication ». Et c'est aussi pourquoi la mise à jour d'une homologie entre langage et monnaie (ou plus généralement entre signes et marchandises) nous semble d'une importance méthodologique exemplaire, en tant que le langage et la monnaie apparaissent tous deux comme des cas structuralement homologues dans un dispositif de « communication » sociale qui définit le mode d'existence, historiquement spécifique, d'une société.

Ainsi, par exemple, une société comme l'Egypte ancienne, où l'équivalent général existe déjà, mais sous la forme non circulante de l'étalon idéal, tandis que les produits, évalués en fonction de cette mesure unique, s'échangent cependant sur le marché comme s'il s'agissait d'un troc (non-monétaire) présente un cas bien différent, quant à la structure des registres que nous venons de distinguer, d'une société comme la Grèce. Dans ce dernier cas, en effet, on rencontre un moment du développement des échanges, où les trois fonctions de l'équivalent général sont cumulées, incarnées, dans le même objet monétaire, tout en étant cependant différentiables. La pièce d'or (ou plutôt d'argent) assure à la fois : a/ la fonction d'archétype (elle est identique à l'archétype) ; b/ la fonction de jeton (elle circule, elle doit être acceptée dans toutes les transactions, elle a une valeur nominale garantie par l'Etat) ; c/ la fonction de trésor ou de lingot puisqu'elle conserve, en tant que matière, une valeur intrinsèque (qui coïncide en droit avec sa valeur nominale, mais qui est en fait autonome par rapport à cette valeur nominale, puisque sortie de la circulation, gardée telle quelle ou fondue, la pièce conserve cette valeur intrinsèque). Ce cas, qui ressemble à ce que sera la circulation monétaire à l'époque moderne (après le Moyen-Age) est lui-même bien différent de ce qui apparaît de nos jours : la circulation d'un *jeton* qui tend à perdre toute couverture et convertibilité, la domination presque exclusive du registre symbolique sur le registre idéal de l'archétype, et le registre réel du trésor.

Ce qui importe est donc de déterminer pour chaque mode historique de l'échange (économique et signifiant, à tous les niveaux que nous avons montrés comme solidaires) la manière dont l'archétype, le jeton et le trésor joue leur rôle dans la logique des métabolismes. Il apparaîtra qu'il y a plusieurs économies possibles de l'équivalent général et que ces différences, qui ne sont pas seulement économiques, mais affectent l'échange en général, le statut de la valeur et du sens, permettent d'analyser les aspects essentiels du « mode de symboliser » d'une formation sociale, et entre autre, le statut de ses représentations esthétiques ou religieuses.

Il deviendra clair aussi que si la société technologique contemporaine, comme nous y insisterons, se caractérise par la domination (économique et signifiante) de la logique du jeton, dans le registre du symbolique pur, il est possible d'expliquer à partir de cette domination certaines des conceptions philosophiques et esthétiques qui s'y développent, et aussi et surtout de prévoir comment cette insistance unilatérale sur l'une des fonctions de l'équivalent général, conduit nécessairement à des redispositions plus ou moins souterraines des deux autres fonctions.

# 5. Les trois paternités

Le commencement des *Faux-Monnayeurs* : Bernard apprend, en découvrant par hasard dans un tiroir secret sous une plaque de marbre, une lettre adressée autrefois à sa mère, que celui qu'il avait tenu jusque-là pour son père n'est pas son véritable père. Dès le début donc, une révélation décisive, un choc, touchant la vérité du père : le père est faux. L'illusion est brutalement dissipée, le mensonge découvert : Maître Profitendieu, l'homme de loi, « celui que j'appelais mon père » (p. 73) n'était qu'un substitut « de mon vrai père » (p. 73).

Et dès lors, sous le coup de cette découverte inaugurale le fils se révolte contre ce mensonge familial, fuit, puis s'interroge interminablement (c'est un des motifs de la structure figée du roman) sur le rapport qu'il doit entretenir avec celui qu'il appelle désormais « mon faux père » (p. 247) ou encore « celui qui m'a tenu lieu de père » (p. 249).

D'où la question qui s'ouvre dès le départ (avant la cascade des faux-monnayages) touchant la représentation ou la

57

substitution : un père peut-il être remplacé ? Qu'en est-il de la structure du « à la place de » lorsqu'il s'agit de la filiation et de la paternité ? Pourquoi la lieutenance, ici, est-elle irrémédiablement vécue comme usurpation, mensonge, fausseté ? N'y a-t-il pas une limite au jeu des substitutions lorsqu'il s'agit de la personne du père ?

Tout commence donc par un désaveu de filiation. Une lettre de rupture agressive adressée au juge, à l'homme de loi, au « bourgeois honnête » (p. 39) et moralisateur que Bernard Profitendieu tenait pour son père et dont il porte le nom. C'est une lettre de remboursement. Ou plutôt de non-reconnaissance de dette :

« Monsieur, j'ai compris, à la suite de certaine découverte que j'ai faite par hasard cet après-midi, que je dois cesser de vous considérer comme père, et c'est pour moi un immense soulagement. En me sentant si peu d'amour pour vous, j'ai longtemps cru que j'étais un fils dénaturé ; je préfère savoir que je ne suis pas votre fils du tout. » Et la fin, après deux pages d'explication : « Je signe du ridicule nom qui est le vôtre, que je voudrais vous rendre, et qu'il me tarde de déshonorer — Bernard Profitendieu. »

Ainsi ce nom du faux père, où Dieu résonne ridiculement comme une occasion de bénéfice ou comme une valeur capitalisable, le fils le désavoue. Débiteur d'un nom de famille frauduleusement attribué, il le rend ou voudrait le rendre à son propriétaire, comme un signe ou une insigne qui a cessé de remplir sa fonction de nomination. *Dieu* et *profit* (Dieu et Capital) associés dans le nom du père bourgeois, homme de loi autoritaire, le fils maintenant en est quitte. Il se sent soulagé d'un poids. Ne plus rien devoir à son père, son faux-père, affectivement et économiquement aussi (puisque sa mère était plus riche que son père quand il l'a épousée et que c'est donc à elle que doit s'adresser la dette) tel est l'acte que la lettre solennelle signifie : « L'idée de

vous devoir quoi que ce soit m'est intolérable. » (P. 24.)
Le fils Profitendieu préfère se savoir bâtard, c'est-à-dire fils
naturel et non légitime (par la nature et non par la loi) que
né de ce juge autoritaire lui-même trompé. Cet homme de
loi pontifiant qui « tire un enseignement moral, insupporta-
blement, des moindres événements de la vie » et qui « interprète et traduit tout selon son dogme » (p. 30) le fils désormais dessillé, libéré de la fausse croyance en des liens de
filiation légitime, lui retire toute sa créance, et ne reconnaît
envers lui aucun débit.

Que *Les Faux-Monnayeurs,* où se tissent des enjeux qui
tournent tous, à des titres divers, autour de la question de
la perte des étalons — métaphorisée par la chose monétaire
— commence par cette falsification de la paternité peut nous
convaincre de la surdétermination structurale très serrée du
texte de Gide. D'ailleurs qu'une relation puisse s'établir
entre la *monnaie* et le *père,* Gide le suggère par un exergue
emprunté à Shakespeare ; et qui ouvre le chapitre où Bernard
le lendemain de la découverte de sa bâtardise se réveille
après un rêve dont il ne se souvient pas :

> We are all bastards ;
> And that most venerable man which I
> Did call my father, was I know not where
> When I was stamp'd.

Le père (ici le géniteur) est celui qui par la conception
apporte une *forme* ; comme le sceau sur la cire, comme
l'effigie frappée sur la médaille ou la pièce de monnaie. La
paternité naturelle est la frappe d'une monnaie, son impression, son estampillage. Comme un souverain bat monnaie,
en marquant de sa noble et royale effigie la matière d'or
dont il garantit l'authenticité et la légalité pour les échanges,
le père apporte son image et ressemblance à l'enfant qui

va naître. Ainsi, encore et toujours, selon une configuration imaginaire insistante dont nous avons montré ailleurs la portée pour l'archéologie mythique de l'opposition philosophique majeure [1] le père est celui qui donne la forme, tandis que la mère apporte la matière. Ce *sceau* du père c'est l' « *idée* » de l'enfant à laquelle la mère donne un corps, une matérialité. Ainsi Bernard, avant qu'il ne dissocie plus loin son géniteur inconnu de son éducateur et pendant qu'il cherche à analyser ce qu'il a « le plus sûrement hérité » de celui qu'il nomme « mon vrai père », remonte à ce point d'origine énigmatique où le père est l'*autorité émettrice* en qui se fonde, par l'imposition d'une forme, l'authenticité des numéraires circulants. L'exergue suggère l'identification de Bernard lui-même à une pièce de monnaie. Il fait plus loin cette comparaison explicitement, après s'être interrogé sur le mythe de la paternité naturelle (p. 249). Nous sommes tous des bâtards, dit Shakespeare, au regard de la paternité naturelle. Et Bernard ne pourra échapper à cette bâtardise qu'il vient de découvrir, qu'en accédant à une idée de père qui ne soit pas conceptionnelle. Dès lors il rêvera de rendre un son pur, authentique, au moindre choc. Et de n'être pas comme les faux-jetons (p. 251). Ainsi, d'une manière serrée la différence entre fausse monnaie et monnaie authentique métaphorise la différence, d'ailleurs renversable, entre vrai et fausse filialité (et paternité). Le fils est comme la monnaie circulante d'un père qui en détient la garantie de valeur, et la forme originelle, dans la frappe qui l'a constitué à sa propre image. Cette paternité, d'abord exigée comme réelle (naturelle), est appelée ensuite comme une garantie plus haute, dans une frappe qui n'est plus conceptionnelle mais qui est la marque ineffaçable de l'éducation dans l'esprit. Nous verrons plus loin comment la métaphore monétaire

---

1. Cf. *Les iconoclastes,* p. 196 et suiv.

poursuivra ainsi son chemin lorsque Bernard retrouvera, dans sa confrontation avec Laura, un nouveau rapport à son père et à la loi.

Le père cependant, dans la thématique des *Faux-Monnayeurs,* n'est pas seulement l'honnête bourgeois. Car si la découverte, par Bernard, d'une lettre adressée à sa mère déclenche la crise décisive de la disqualification du père magistrat, de celui qui parle au nom de la loi, et qui fait son profit de Dieu, une seconde disqualification de la figure du père intervient aussitôt dans le roman : c'est la dévaluation du père noble, de l'aristocrate, avec ses ancestrales prérogatives. Cette fois, dans l'épisode du comte de Passavant, le vieux père de Robert, ce n'est pas le mensonge généalogique de la filiation qui est percé à jour, révélant comme simple tenant lieu de père celui qui se posait en vrai père. C'est la mort qui brutalement rend évident à tous la vérité que chacun savait : le défunt était détesté par tous. Et surtout par son propre fils, qui doit reconnaître à présent (nouvelle question de l'authenticité) que derrière la convention de l'amour filial et le formalisme d'une politesse apprise, le cœur n'y était pas. C'est ainsi que Robert de Passavant confie après la mort du vieux comte :

« — Ecoutez, cher ami, je ne voudrais pas vous paraître cynique, mais j'ai horreur des sentiments tout faits. J'avais confectionné dans mon cœur pour mon père, un amour filial sur mesure, mais qui, dans les premiers temps, flottait un peu et que j'avais été amené à rétrécir. Le vieux ne m'a jamais valu dans la vie que des ennuis, des contrariétés, de la gêne. S'il lui restait un peu de tendresse au cœur, ce n'est à coup sûr pas à moi qu'il l'a fait sentir. Mes premiers élans vers lui, du temps que je ne connaissais pas la retenue, ne m'ont valu que des rebuffades, qui m'ont instruit. Vous avez vu vous-même, quand on le soigne... Vous a-t-il jamais dit merci ? Avez-vous obtenu de lui le moindre regard, le plus fugitif sourire ? Il a toujours cru que tout lui était dû. Oh ! c'était ce qu'on appelle un caractère. Je crois qu'il a fait beaucoup souffrir ma mère, que pourtant il aimait, si tant est qu'il ait jamais aimé vraiment. Je crois qu'il a fait souffrir tout le monde autour de lui, ses gens, ses chiens, ses chevaux, ses maîtresses ; ses amis non, car il n'en avait pas un seul. Sa mort fait dire ouf ! à chacun. C'était, je crois, un homme de grande valeur " dans sa partie ", comme on dit ; mais je n'ai jamais pu découvrir laquelle. Il était très intelligent, c'est sûr. Au fond j'avais pour lui, je garde encore, une certaine admiration. Mais quant à jouer du mouchoir... quant à extraire de moi des pleurs... non, je ne suis plus assez gosse pour cela. » (P. 45.)

Aucun chagrin à la disparition du vieux. « Sa mort fait dire ouf ! à chacun. » Loin de susciter regret et pleurs un immense sentiment de soulagement accueille la fin du vieil homme détesté réduit à son personnage de maître prétentieux, dur, méchant, qui a toujours cru que tout lui était dû. Mais ainsi ce mauvais père qui « n'aimait pas beaucoup qu'on lui adressât la parole le premier », même sa femme, ce comte de Passavant (passe avant) dont le nom résume les prétentions nobiliaires, ne sera jamais le vieil ancêtre mort, dont l'évocation suffit à ouvrir la dimension de l'au-delà. Ici le père mort n'est pas horizon de transcendance, site sacré de l'ouverture à Dieu. Au lieu qu'il remplisse cette fonction religieuse immémoriale de l'ancêtre, auquel un culte sera rendu, il reste un vieillard décédé, reposant immobile sur le lit mortuaire. Aux yeux attentifs de son jeune fils Gontrand qui sent obscurément ce qu'il devrait attendre ici de portée *numineuse,* jamais il ne deviendra un Père mort.

« Dès que Séraphine l'a laissé seul, Gontrand se jette à genoux au pied du lit ; il enfonce son front dans les draps, mais il ne parvient pas à pleurer ; aucun élan ne soulève son cœur. Ses yeux désespérément restent secs. Alors il se relève. Il regarde ce visage impassible. Il voudrait, en ce moment solennel, éprouver je ne sais quoi de sublime et de rare, écouter une communication de l'au-delà, lancer sa pensée dans des régions éthérées, supra-sensibles — mais elle reste accrochée, sa pensée, au ras du sol. Il regarde les mains exsangues du mort, et se demande combien de temps encore les ongles continueront à pousser. Il est choqué de voir ces mains disjointes. Il voudrait les rapprocher, les unir, leur faire tenir le crucifix. » (P. 48.)

Un fondamental *retentissement* fait défaut. Comme si un sens, une valeur, une intensité numineuse qui auraient dû ici se déclarer, et ouvrir une dimension de transcendance (vers l'au-delà, vers le supra-sensible, vers les régions éthérées, sublimes) restaient sans effet. Une valence immémoriale qui aurait dû ici déployer toute la richesse de son sens supérieur, découvrir le pur éclat de son trésor, sa signification métaphysique reste inemployée, en jachère, non traduite, comme si ce cadavre indifférent, échouait à évoquer valablement pour le fils pourtant attentif, les échos infinis qui s'attachent à l'ancêtre mort.

Dans cette incapacité du cadavre du père à faire signe vers l'au-delà, on peut voir l'échec de la fonction même de signification. Car le signe, on le sait, a un *corps* et une *âme* ; un signifiant sensible et un signifié intelligible. Il n'y a signe (et d'une façon plus générale représentation ou expression) que lorsque le corps signifiant évoque une âme signifiée. Le sens est alors l'âme immortelle du corps des signes, et il reste vivant, transcendant, même lorsque ce corps est mort. Or quand la momie immobile du signifiant n'abrite plus l'âme du signifié, quelque chose ne va plus dans la fonction symbolique. Lorsque ce corps du signe, surtout, est le corps du père. Car ce que le cadavre ou le tombeau du père devrait signifier, c'est la transcendance du signifié, c'est l'éternité de l'esprit au-delà de la matière périssable du corps. Dans sa signification la plus enfoncée l'esprit n'est autre que l'âme du père mort — une âme qui peut revenir hanter les vivants comme un « esprit », mais qui peut aussi donner le sens spirituel ultime, site transcendant de la lignée des ancêtres et loi non-écrite pour l'avenir des fils.

Or dire comme le fait Gide dans *Les Faux-Monnayeurs* que le cadavre du père ne donne plus rien à penser au fils, c'est dire que le *symbole* dont la fonction est de donner à penser, ou c'est dire que le signe dont la fonction est de faire sens, ont cessé d'être tels. Le corps du père n'évoque plus l'au-delà. Autant dire qu'il n'y a plus de sens transcendantal, et même de fonction signifiante comme telle. Les signifiants pourront continuer de circuler dans leur valeur opératoire, ils auront cessé d'avoir un sens évocatoire, s'enracinant dans une garantie hors-échange.

Telle est la crise du faux-monnayage : le *langage*, la *monnaie*, le *père*, ont cessé d'être nœud de garanti du sens et des valeurs. Plus de signifié transcendantal, plus d'étalon éternel. Et dès lors un faux-monnayage généralisé : dans la circulation linguistique, monétaire, intersubjective. A tous les niveaux où se structure l'équivalent général.

Alors que la découverte par Bernard que son père Profitendieu n'est pas son vrai père prend place dès l'ouverture du roman, alors que la mort du comte Passavant, est aussi un thème de départ, c'est vers la fin du livre travaillé d'un bout à l'autre par des variations sur le protestantisme qu'émerge le motif du pasteur.

Dans les entrelacs et les contre-points du thème protestant, la figure du pasteur se place, comme celle de l'homme de loi, et comme celle du vieux noble, sous le signe du père problématique. Là encore la démonétisation de la paternité renvoie à un effondrement central des valeurs de transcendance. Le pasteur Vedel, père d'Armand, est suspecté par son fils d'être faux ; il joue au pasteur. Comédie de la croyance. Représentation publique de la conviction.

« Qu'est-ce qui te faisait dire que ton père jouait au pasteur ? Tu ne le crois donc pas convaincu ?

— Monsieur mon père a arrangé sa vie de telle façon qu'il n'ait plus le droit ni le moyen de ne pas l'être. Oui, c'est un convaincu professionnel. Un professeur de conviction. Il inculque la foi ; c'est là sa raison d'être ; c'est le rôle qu'il assume, et qu'il doit mener jusqu'au bout. Mais quant à savoir ce qui se passe dans ce qu'il appelle " son for intérieur " ?... Ce serait indiscret, tu comprends, d'aller le lui demander. Et je crois qu'il ne se le demande jamais lui-même. Il s'y prend de manière à n'avoir jamais le temps de se le demander. Il a bourré sa vie d'un tas d'obligations qui perdraient toute signification si sa conviction faiblissait ; de sorte que cette conviction se trouve exigée et entretenue par elles. Il s'imagine qu'il croit, parce qu'il continue à agir comme s'il croyait. Il n'est plus libre de ne pas croire. Si sa foi flanchait, mon vieux, mais ce serait la catastrophe ! Un effondrement ! Et songe que, du coup, ma famille n'aurait plus de quoi vivre. C'est un fait à considérer, mon vieux : la foi de papa, c'est notre gagne-pain. Nous vivons tous sur la foi de papa. Alors venir me demander si papa a vraiment la foi, tu m'avoueras que ça n'est pas très délicat de ta part. » (P. 328.)

Ici, c'est donc à la sincérité, à la profondeur, à l'authenticité des convictions, que sera opposée la fausseté. Le pasteur Vedel est aux yeux de son fils un faux-monnayeur des valeurs religieuses. Il émet des signes qui présentent toutes les apparences de valeurs authentiques, mais qui n'ont aucune couverture *en lui,* dans son intériorité. Même si la métaphore monétaire n'apparaît pas dans ce passage, il s'agit clairement d'un des modes métaphoriques du faux-monnayage. Les paroles du pasteur Vedel ne sont que des *jetons* qui ne correspondent à aucune encaisse dans le trésor de la vie intérieure. C'est l'inflation. Cette dimension psychologique (celle de l'âme), la sincérité opposée à la fausseté, l'authenticité opposée au jeu, la profondeur opposée à la surface, la vérité opposée au mensonge, n'a cessé de se dire, nous y insisterons, par la métaphore monétaire, et il faudra interroger cette insistance. Nous le ferons plus loin lorsque nous analyserons la dissociation des fonctions de l'équivalent général qui conduit à la dérive du jeton sans convertibilité. Le *trésor* est intérieur. C'est l'intériorité elle-même. Incessamment, c'est par la métaphore du trésor (qui est « caché dedans », mis à l'abri dans le « for intérieur ») que se dit la profondeur et la richesse de l'intériorité, l'authenticité des intuitions, la vérité vécues des images. Et inversement, le jeton, la fausse pièce, le billet de banque, qui n'ont aucune valeur intrinsèque, mais doivent être couverts par l'encaisse toujours hypothétique d'une autorité émettrice ne cesse de signifier l'extériorité, la superficie, le non-vécu, le mensonge et la fausseté possible de ce qui circule et s'échange. La question donc de la *foi,* non seulement de celui qui parle, mais de celui qui écoute. La question donc du *fiduciaire.* Fiducia : confiance. Fiduciaire se dit des valeurs fictives, fondées sur la confiance accordée à celui qui les émet.

Or la scission du père, suspectée par le fils, devient chez le fils la conscience permanente d'un clivage. Il n'y a plus de vérité des pensées et des sentiments :

— « Quoi que je dise ou fasse, toujours une partie de moi reste en arrière, qui regarde l'autre se compromettre, qui l'observe, qui se fiche d'elle et la siffle, ou qui l'applaudit. Quand on est ainsi divisé, comment veux-tu qu'on soit sincère ? J'en viens à ne même plus comprendre ce que peut vouloir dire ce mot. » (P. 356.)

C'est pourquoi le sacerdoce du père ne pourra se transmettre au fils. Il y a une rupture dans la reproduction symbolique. Le fils du pasteur ne veut pas hériter de la charge d'âme de son père, qu'il suspecte de « jouer au pasteur » (p. 356). Quelque chose est brisé. « Tu sembles oublier mon cher, que mes parents prétendaient faire de moi un pasteur. On m'a chauffé pour ça, gravé de préceptes pieux en vue d'obtenir une dilutation de la foi, si j'ose dire... Il a bien fallu reconnaître que je n'avais pas la vocation. C'est dommage. J'aurais peut-être fait un prédicateur épatant. Ma vocation à moi, c'était d'écrire *Le vase nocturne.* » (P. 359.) Ainsi l'obscurité excrémentielle s'opposera, comme une protestation, à l'or falsifié des faux sentiments élevés.

Peut-être faut-il rattacher de plus près encore, cette place de l'homme de religion à l'interrogation protestante qui court dans le roman de Gide et sur laquelle nous reviendrons plus loin en détail, à propos de l'iconoclasme. Le pasteur est un homme de religion, mais ce n'est pas un *père* au sens bien catholique. Les croyants ne le nomment pas « mon père » en s'adressant à lui. Et c'est parce qu'il *n'*est *pas* un père ecclésiastique qu'il peut avoir des enfants selon la chair. C'est un père de famille et non selon l'esprit. Il est père au sens littéral, et non pas au sens métaphorique. Il est père au propre, et non pas au figuré. Du « père » au « pasteur », il y a donc, comme du catholicisme au protestantisme, une perte de la *figure* du père. La dimension métaphorique de la paternité s'efface devant la concrétude prosaïque d'une paternité profane.

C'est ainsi que le protestantisme dans le roman de Gide, consonne avec une crise de l'image du père, qui est à la fois une crise de l'image et une crise du père. Or au moment où le *personnage* paternel perd son relief et sa figure, comme l'effigie dorée de la monnaie dans l'usure de la circulation, c'est le personnage en général qui disparaît de la vie comme du roman. Que reste-t-il ? D'un côté le père en personne, mais qui n'est plus qu'un élément structural dans les relations de parenté, et de l'autre des idées abstraites d'une transcendance sans ancrage. Une dissociation se produit entre le père présent et vivant et la dimension mesurante qu'il est chargé d'incarner. Dissociation dont nous montrerons peu à peu l'enjeu au regard d'une histoire des valeurs. La thématique protestante de Gide est ici l'indice et la source de la modernité des symptômes que sa fiction dispose.

Ainsi, avec Profitendieu, Passavant et Vedel, ce qui se donne d'abord comme pleine paternité, se révèle bientôt comme *vide* du père. *L'homme de loi,* celui qui juge, distingue le bien et le mal, le juste et l'injuste, distribue le châtiment en *évaluant* la gravité du forfait selon la règle et le code (qui institue une *équivalence* entre le crime et la peine) ce père-là d'entrée de jeu (il suffit de la découverte d'un secret détenu par la mère) est dénoncé comme un faux-père. Ensuite *l'homme de la noblesse,* celui qui a un nom, un titre, des racines, celui qui par le droit du sang (le lignage et la généalogie) possède des prérogatives de naissance, celui-là aussi n'occupe plus aux yeux du fils le site ancestral du père mort et sacralisé. Et enfin *l'homme de religion,* celui qui réanime par la parole vivante, le sens des écritures saintes, dit le bon chemin et les vertus, les actions à faire et celles à ne pas faire, celui-là aussi tombe sous le

coup de la suspicion du fils : paroles, paroles, paroles, déclaration d'intention, profession de foi, sermons, leçons de
morale, mais *au fond*, pour la conviction intime de ce père,
au plus profond de l'âme, dans le cœur, qu'en est-il ?

Un trait remarquable apparaît alors clairement. Si l'on
ne considère pas le statut social de ces trois pères (le bourgeois juriste, le vieil aristocrate, et l'homme de religion) mais
plutôt ce qui les fait apparaître *aux yeux des fils* comme des
non-pères, si l'on considère en un mot le point de carence
qui les disqualifie comme support de la fonction paternelle,
il est tout à fait remarquable que l'on retrouve les trois
fonctions de l'équivalent général, chacun de ces trois pères
correspondant étroitement à l'une de ces fonctions. Ainsi
Bernard découvre que Maître Profitendieu n'est pas son
père réel, ce qui correspond au registre de la réalité. Pour
les fils Robert et Gontrand, le vieux comte de Passavant a
bien été un père réel mais il ne se constitue pas en Père
mort transcendantalisé dans le registre idéal de la *mesure*
que nous avons désigné comme registre de l'archétype. Enfin
pour Armand, c'est fondamentalement la *parole* du père
qui est dépourvue de tout ancrage dans le trésor de l'intériorité, ce qui fait de son langage un signifiant flottant, inconvertible, qui n'a que le statut de pure *symbolicité* du jeton.
Tout se passe donc, par une étonnante nécessité structurale
(dont on s'étonne que Gide ait pu retrouver systématiquement l'intuition) comme si les trois fonctions de l'équivalent général et les trois registres qu'ils déterminent (réalité,
idéalité, symbolicité) étaient marqués par les trois pères
défaillants des *Faux-Monnayeurs* [2].

_____

2. Il faudra souligner ce trait significatif : c'est celui qui était
apparu d'abord comme un père faux dans le registre du réel biologique (Bernard découvre que Profitendieu n'est pas son géniteur) qui
sera finalement, par Bernard, nous le dirons plus loin, réhabilité
comme père authentique dans le registre proche d'une paternité

Nous vérifions, ici encore, que le triple registre de l'*archétype,* du *jeton* et du *trésor,* que nous avons dégagé sur le cas de la monnaie, n'est pas une particularité de la seule monnaie, mais qu'on peut en découvrir la logique pour les autres niveaux structuraux où se dégage un équivalent général ; et particulièrement le niveau de la paternité. Il sera facile de montrer plus loin que cette même division se retrouve pour le langage, et qu'elle permet des distinctions précises pour déterminer le statut historique de la langue (et de la signification en général) dans telle ou telle conjoncture échangiste. Avec cette tripartition des fonctions de l'équivalent il semble que nous nous trouvions en présence d'une structure très générale qui est manifeste dans le cas de l'échange économique mais qui dépasse ce niveau pour affecter la *communication* en général. C'est même à partir de telles structures nécessaires de la « communication » qu'il faudrait appréhender l'échange économique lui-même.

---

archétype (au sens que nous donnons à ce mot en distinguant les trois fonctions de l'équivalent général).

# 6. Le roman des équivalents généraux

Pour notre analyse, qui abandonne toutes les intrications romanesques du livre de Gide pour suivre avant tout le filon de la métaphore monétaire, le chapitre qui confronte « Laura et Bernard » et qui suit celui où « Edouard expose ses idées sur le roman », doit retenir notre attention pour sa densité et son mouvement, mais surtout par la série extraordinairement systématique des éléments signifiants qu'il met en jeu. On y découvre en effet tous les registres, ou presque tous, qui dispersés en réseau dans le cours du roman, sont redevables directement ou indirectement de la métaphore de la monnaie. En d'autres termes, tous les signifiants majeurs que nous avons désignés structuralement comme des équivalents généraux, car ils présentent, à la fois logiquement et historiquement, une certaine homologie avec la monnaie, paraissent convoqués successivement dans ce chapitre, et se ranger sur un même axe métaphorique, dont la monnaie constitue le point exemplaire de référence.

Mais de plus, il ne s'agit pas d'un rapport neutre au

71

principe de l'équivalent général. Le moment qui est ressaisi par Gide est celui du passage de la suspicion à la confiance. Tout ce qui, fondé sur le principe de l'équivalence générale *(monnaie, père, langue, moi)* était apparu comme impliquant un risque de fausseté (fausse monnaie, faux père, mauvaise abstraction conceptuelle, moi conventionnel) est maintenant appréhendé dans sa vérité — dans sa conformité possible et profonde à une *loi* supérieure. Le personnage de Bernard semble découvrir (grâce à l'amour pour Laura) qu'il peut exister un *langage* plein et authentique différent de la mauvaise abstraction, un *père* véritable, un *Etat* respectable, un *moi* sincère qui sonne juste et vaut ce qu'il paraît vouloir. C'est ici le versant fondateur et régulateur des équivalents généraux, comme rendant possible un certain rapport à la vérité et à la loi (qui n'entrent plus en contradiction avec le désir) que Bernard découvre ou redécouvre. Il passe de la déchirure à la réconciliation. Dès lors il s'oppose explicitement à Edouard dont le roman *Les Faux-Monnayeurs* témoigne d'une crise aiguë de confiance envers la forme de valeur dominante. Pour l'écrivain, par opposition au naïf adolescent amoureux, le principe même des échanges parvenu à un certain degré d'abstraction implique une rupture avec la vérité. Si Gide place le discours amoureux du jeune Bernard adressé à Laura, après, juste après le chapitre décisif où « Edouard expose ses idées sur le roman », à des auditeurs réticents, c'est que la foi retrouvée du jeune adolescent pour la « monnaie » authentique, contraste avec le déchirement de « l'idéologie » (p. 254) qui éprouve que désormais entre ce qu'il sent et ce qu'il pense, le lien est rompu (p. 115). Alors que Bernard manifeste la foi naïve en la possibilité d'échapper à l'abstraction, à la fausseté, à l'inauthenticité, et de retrouver au-delà les « richesses du cœur », Edouard se fait le symptôme critique d'une aliénation plus aiguë et irrémissible dans un système d'échange dominé par l'équivalent général.

72

Ce qui ressort du discours de Bernard nous intéresse donc par le système métaphorique implicite qui s'y dispose. Les rapports au *langage,* à la *paternité,* à *l'Etat,* au *moi,* sont successivement abordés dans cet ordre, et suivant des attendus thématiques comparables — qui tous, à leur tour, convergent vers l'image *monétaire.* Il n'est donc pas besoin de solliciter ce texte, pour y voir se déployer avec une rigueur surprenante, la problématique des équivalents généraux. C'est en somme par rapport à une *numismatique générale* que le personnage inventé par Gide se situe.

Il n'est pas indifférent, bien entendu, que ce soit dans le rapport à une femme que Bernard dépasse, ou croit dépasser, l'effet de fausseté qui s'attache à tous les éléments entrant dans la logique monétaire de l'équivalent général. Il n'est pas indifférent que ce soit la femme qui lui permette de résoudre les oppositions qui lui paraissent insurmontables, entre la nature et la loi, la vérité et la convention, le désir et la raison, le cœur et l'entendement. Dans le système structural extrêmement rigoureux qui se met en place dans le roman de Gide deux personnages féminins (Laura et Sophroniska) occupent un lieu très précis qui s'oppose à tout ce qui appartient à la logique de l'abstraction monétaire — tandis qu'un troisième au contraire (Lilian), attisé par le double désir insatiable d'*argent* et de *phallus* la base pulsionnelle du système.

Dans le rapport de Laura et Bernard, c'est *elle,* Laura, qui lui permettra de retrouver le fil de ses sentiments véritables derrière le détour des abstractions philosophiques. Il rejoindra les affects justes que la pensée conceptuelle recouvrait. Le dialogue entre Bernard et Laura commence ainsi par une méditation interrogative et ratiocinante de Bernard dans le style du doute cartésien. C'est la philosophie cartésienne qui a déformé Bernard. Elle lui a imprimé un mode de pensée artificiel. Mais avec Laura il retrouvera sa nature.

« — Je voulais, vous demander, Laura, dit Bernard : pensez-vous qu'il y ait rien, sur cette terre, qui ne puisse être mis en doute ?... C'est au point que je doute si je ne pourrais prendre le doute même comme point d'appui ; car enfin, lui du moins, je pense, ne nous fera jamais défaut. Je puis douter de la réalité de tout, mais pas de la réalité de mon doute. Je voudrais... Excusez-moi si je m'exprime d'une manière pédante ; je ne suis pas pédant de ma nature, mais je sors de philosophie, et vous ne sauriez croire le pli que la dissertation fréquente imprime bientôt à l'esprit ; je m'en corrigerai, je vous le jure. » (P. 192.)

Le jeune lycéen, sortant d'un cours de philosophie, a pris un mauvais pli. Celui de la méditation métaphysique. Il est passé suivant la pente spéculative de Descartes, du doute méthodique au doute hyperbolique. Et voilà qu'il se sent, lui aussi, tombé dans une eau profonde, sans aucun fondement solide pour soutenir sa certitude. Ne peut-on douter de tout, y compris de sa propre existence ? Mais si je doute, c'est que je suis, etc. Bernard l'apprenti philosophe, interrompt la chaîne méditative, pour s'excuser de l'expression professorale et dissertative de son inquiétude. Car au-delà du bavardage rationaliste et de l'aliénation de la pensée aux concepts, il y a la vérité du cœur. Et Laura d'emblée, entend ce discours philosophique cartésien, qui reprend le mouvement de la deuxième *Méditation* comme une *rationalisation*. Elle répond en effet aussitôt :

« — Pourquoi cette parenthèse ? Vous voudriez... ? »

Or Bernard n'avait exprimé aucun vouloir ; et son discours ne se donnait pas comme une parenthèse. Mais Laura a entendu derrière la formulation abstraite d'un doute d'allure métaphysique, l'expression déplacée d'un doute sentimental.

C'est l'amour pour Laura qui oblige Bernard à régler son langage sur ses affects, à faire coïncider ce qu'il dit et ce qu'il ressent. Les mots peu à peu perdent leur inconvertibilité. L'inflation verbale qui séparait le sens purement conceptuel du langage des sentiments réellement éprouvés, tend à décliner dans l'effort difficile pour « exprimer un sentiment sincère » : « Ah ! si vous saviez ce que c'est enrageant d'avoir dans la tête des tas de phrases de grands auteurs, qui viennent irrésistiblement sur vos lèvres quand on veut exprimer un sentiment sincère. Ce sentiment est si nouveau pour moi qu'il n'a pas encore su inventer son langage. » (P. 247.)

Ce n'est donc pas un hasard si, comme nous allons le marquer, dans le rapport amoureux à Laura, un bouleversement intervient à tous les registres où la fausseté avait d'abord été dénoncée : fausseté du *père,* fausseté du *concept,* fausseté de la *monnaie,* fausseté du *moi,* et même fausseté de l'*Etat* (ramené d'abord à une simple convention). Dans son dialogue avec cette femme aimée (qui ne parle presque pas, sinon pour inviter Bernard à surmonter toute réticence à parler ouvertement) on trouve systématiquement *tous* ces registres-là, et ce qui avait d'abord été considéré comme lieu même de la fausseté, devient le lieu d'une vérité possible.

Laura perçoit le discours de Bernard comme oblique. Et elle sent que cette oblicité est l'effet d'une pensée cachée. Dans cette dialectique amoureuse qui rapproche et oppose deux personnages, Laura est celle qui permet à la vérité de se dire, à l'authenticité d'advenir. « N'ayez point honte de vos pensées » (p. 245) dit-elle à Bernard. Et aussi : « Je ne peux vous aimer que naturel. » (P. 250.) Ainsi toutes les faussetés, les mensonges, les contre-façons, l'échafaudage des transpositions abstraites qui séparaient Bernard de lui-même, sont-elles peu à peu dissoutes par la reconnaissance de son sentiment amoureux, et l'*aveu* de ce sentiment. Cette voie de l'authenticité, va de loin en loin, affecter et détruire tous les faux-monnayages.

« C'est vous Laura qui m'avez fait me connaître ; si différent de celui que je croyais que j'étais ! Je jouais un affreux personnage ; m'efforçais de lui ressembler. Quand je songe à la lettre que j'écrivais à mon faux père avant de quitter la maison, j'ai grand'honte je vous assure. » (P. 247.)

Après le langage donc, le rapport au père. Car si la découverte de la fausse paternité avait été la crise inaugurale déclenchant la suspicion généralisée de faux-monnayage (concernant toutes les « valeurs »), inversement, le retour à la vérité passe par une réévaluation du site de la paternité. Et il est remarquable que Bernard ne va pouvoir aimer de nouveau son *nom propre,* et surmonter sa révolte anarchiste, qu'au moment où il accepte la différence entre le père biologique et le père éducateur. Bernard accède à la notion d'une fonction de paternité qui ne se réduit pas au rôle procréateur du mâle (le géniteur) mais constitue plutôt la transmission d'un héritage symbolique par l'éducation. Dès lors, celui qui est le faux-père au regard de la généalogie biologique, peut néanmoins être le vrai père (un *pater,* différent du *genitor*) au regard de la transmission éducative.

« Il y eut un très long silence. Bernard reprit :
« Est-ce que vous croyez qu'on peut aimer l'enfant d'un autre autant que le sien propre, vraiment ?
— Je ne sais pas si je le crois ; mais je l'espère.
— Pour moi, je le crois. Et je ne crois pas, au contraire, à ce qu'on appelle si bêtement " la voix du sang ". Oui, je crois que cette fameuse voix n'est qu'un mythe. J'ai lu que, chez certaines peuplades des îles de l'Océanie, c'est la coutume d'adopter les enfants d'autrui, et que ces enfants

adoptés sont souvent préférés aux autres. Le livre disait, je m'en souviens fort bien, " plus choyés ". Savez-vous ce que je pense à présent ?... Je pense que celui qui m'a tenu lieu de père n'a jamais rien dit ni rien fait qui laissât soupçonner que je n'étais pas son vrai fils ; qu'en lui écrivant, comme j'ai fait, que j'avais toujours senti la différence, j'ai menti ; qu'au contraire il me témoignait une sorte de prédilection, à laquelle j'étais sensible ; de sorte que mon ingratitude envers lui est d'autant plus abominable ; que j'ai mal agi envers lui. Laura, mon amie, je voudrais vous demander... Est-ce que vous trouvez que je devrais implorer son pardon, retourner près de lui ? » (P. 195, 196.)

Ainsi le tenant-lieu de père est aussi un vrai père, s'il ne s'agit plus de la trompeuse « voix du sang », mais d'une autorité et d'un amour qui se situe au-delà de la transmission spermatique. Dès l'instant où Bernard accède à cette notion, il devient lui-même un vrai fils. Alors « J'en viens presque à aimer mon nom » dit-il. Or aussitôt, après cette déclaration de réconciliation avec le nom de son père (Profitendieu) qui lui paraissait auparavant ridicule, Bernard enchaîne sur son rapport affectif à l'*Etat*. Il se sentait avant un « anarchiste », un « outlaw ». Et à présent il comprend que si l'Etat n'est, comme certains le disent, qu'une convention, il faut dès lors la respecter d'autant plus. Le caractère conventionnel de l'institution étatique appelle un effort de probité et non pas d'irresponsable contestation. Bernard n'est plus un anarchiste. Car la convention n'est pas synonyme de mensonge. Le langage, comme le père, ou comme l'Etat, ou comme la monnaie, peuvent être, en quelque sorte des institutions conventionnelles, mais cela nous impose un respect de la loi dont ils émanent (ou qu'ils constituent en eux-mêmes) et non pas une suspicion destructrice. Dès après avoir accepté son nom, qui est le nom hérité de son père, Bernard découvre le *nomos* profond et véridique de toute cette chaîne numismatique.

« J'ai compris brusquement cela, l'autre jour, à cette indignation qui m'a pris en entendant le touriste de la frontière parler du plaisir qu'il avait à frauder la douane ; " Voler l'Etat, c'est ne voler personne ", disait-il. Par protestation, j'ai compris tout à coup ce que c'était que l'Etat. Et je me suis mis à l'aimer, simplement parce qu'on lui faisait du tort. Je n'avais jamais réfléchi à cela. " L'Etat ce n'est qu'une convention " disait-il encore. Quelle belle chose ce serait une convention qui reposerait sur la bonne foi de chacun... si seulement il n'y avait que des gens probes. » (P. 197.)

La probité, cette droiture d'esprit et de cœur qui nous porte à l'observation rigoureuse des devoirs dictée par la loi civile et par la loi morale devient ici la vertu par excellence, car c'est la vertu qui prévient tout faux-monnayage. La nostalgie d'un *vrai* monnayage, dans les rapports aux autres et à soi-même, hante la pensée réconciliée de Bernard. Après l'amour du père et le respect de l'Etat, il exprime, à partir de la métaphore de la monnaie, son amour du vrai, du pur, de l'authentique comme qualité de l'âme, qualité du *soi*.

« Tenez, on me demanderait aujourd'hui quelle vertu me paraît la plus belle, je répondrais sans hésiter : la probité. Oh, Laura, je voudrais, tout le long de ma vie, au moindre choc, rendre un son pur, probe, authentique. Presque tous les gens que j'ai connus sonnent faux. Valoir exactement ce qu'on paraît ; ne pas chercher à paraître plus qu'on en vaut... On veut donner le change, et l'on s'occupe tant de paraître, qu'on finit par ne plus savoir qui l'on est... Excusez-moi de vous parler ainsi, je vous fais part de mes réflexions de la nuit.

— Vous pensiez à la petite pièce que vous nous montriez hier. Lorsque je partirai... » (P. 215.)

Gide joue ici manifestement à plaisir sur la métaphore monétaire dont il tisse le discours de ses personnages. Ce n'est pas seulement le langage qui est comparable à la monnaie, mais aussi le *sujet* lui-même. Bernard se compare implicitement à une pièce de monnaie. Il voudrait rendre un son pur, authentique. Tandis que les gens qu'il connaît sont des faux-jetons, des monnaies qui sonnent faux. Que vaut-on ? A vouloir à tout prix donner le change, présenter l'aspect d'une monnaie de grande valeur, on finit par ne plus savoir ce que l'on est vraiment. La question de l'être et du paraître se relie directement à celle de la valeur, car lorsque la valeur devient exclusivement valeur d'*échange,* alors le paraître *sur le marché intersubjectif* importe davantage que l'être. La valeur pour les autres est un paraître qui ne coïncide plus avec l'être intime, avec le soi. Laura comprend ce qui rattache cette dialectique de l'être et du paraître formulée dans un lexique monétaire, à la petite pièce fausse. Mais elle ne comprend pas que c'est à sa valeur *pour elle* que pense ici Bernard : « J'ai peur, lorsque je ne vous sentirai plus près de moi, de ne plus rien valoir, ou que si peu... » dit alors Bernard, qui se demande aussi « si Edouard valait davantage » (p. 251, 252).

Ainsi Gide, comme cela se voit clairement en d'autres points encore des *Faux-Monnayeurs,* a-t-il montré des personnages dont l'être est entièrement médiatisé par le système de la valeur d'échange. Gide parvient au limite de l'analyse psychologique en essayant de formuler la psychologie des personnages *dans le lexique de l'économie politique.* En cela, l'écrivain Gide se représente bien lui-même dans son personnage de romancier Edouard dont il dit très précisément : « Les idées de change, de dévalorisation, d'inflation, peu à peu envahissait son livre (...) où elles usurpaient la place des personnages. » (P. 238.) C'est à la place des personnages que viennent les notions abstraites empruntées à la vie et à la conceptualisation économique. Bernard va jusqu'à s'identifier métaphoriquement à une pièce de monnaie. On peut comprendre ainsi — et c'est là un des intérêts majeurs de cette œuvre de Gide qui constitue un diagnostic d'une lucidité exceptionnelle — que si le personnage disparaît nécessairement du genre romanesque, *c'est l'économie-politisation de toutes les relations sociales dans la société bourgeoise développée qui en est la cause.* Tout se passe comme si la forme de la valeur, constituée par l'équivalent général circulant, était devenue la « forme d'objectivité » propre à toute une société, et qui réifie le rapport des individus entre eux et à eux-mêmes.

Ce que Gide a donc saisi est que dans une société médiatisée exclusivement par la relation marchande, c'est-à-dire où les rapports décrits par l'économie politique finissent par devenir les seuls rapports existants et le modèle structural de tous les rapports, se produit une « dépersonnalisation » du sujet (Edouard exprime cette dépersonnalisation) qui trouve son corrélat littéraire dans la disparition du personnage. En présentant un romancier qui renonce à « camper » des personnages, et à reconstituer par l'écriture une « tranche de vie », mais dont le langage est envahi par les notions de valeur, de change, d'inflation, de dévalorisation, etc. Gide situe lui-même son roman au moment historique de la dissolution et l'individualité bourgeoise par le processus d'économie-politisation des rapports sociaux. Il enregistre une usurpation.

La petite pièce fausse, celle que Bernard avait montré au romancier Edouard (et qui était devenu l'image la plus exacte du livre qu'il était en train d'écrire) arrive en bout de chaîne, comme l'illustration concrète de toute la réflexion de Bernard sur le faux et le vrai. C'est dans un même mouvement amoureux dont Laura (l'or a ?) est l'objet que Bernard éprouve le sentiment de l'authenticité possible du *langage,* du *père,* de l'*Etat,* de *lui-même,* de la *monnaie.* Mais retrouvant ce sens de la valeur vraie, il est significatif que Bernard exprime alors immédiatement son opposition à la méthode d'*écriture* qu'Edouard a exposée. Il veut croire à la *foi* de l'auteur. Il désapprouve les constructions abstraites qui risquent de faire du roman d'Edouard un « roman à idées ». A Laura il déclare, avant de lui abandonner la pièce truquée qui avait servi d'illustrer la méthode du romancier :

« Je trouve absurde cette méthode de travail qu'il nous exposait. Un bon roman s'écrit plus naïvement que cela. Et d'abord il faut croire à ce qu'on raconte, ne pensez-vous pas ? et raconter tout simplement. » (P. 254.)

La sincérité de l'auteur redevient pour Bernard un principe essentiel de toute écriture. Il s'oppose au faux-monnayage littéraire. Il croit de nouveau à la véracité de l'auteur. De nouveau il plaide pour tout ce qui fait la croyance littéraire : une confiance dans le rapport entre les mots et les choses, une illusion de communication entre l'âme de l'écrivain et l'âme du lecteur. En rétablissant des étalons incarnés et circulants il rétablit ainsi la croyance en la vérité de la représentation.

D'une façon tout à fait explicite c'est le rapport du *désir* et de la *loi* qui est changé. Bernard se sentait un « révolté », un « outlaw », un « anarchiste ». Or dans son rapport à Laura il éprouve la compatibilité intime de son désir et de la loi, ou plutôt son absence d'aspiration à une liberté considérée d'abord « comme bien suprême », « Je me prenais pour un révolté, un outlaw qui foule au pied tout ce qui fait obstacle à ses désirs et voici qu'auprès de vous je n'ai même plus de désirs. » (P. 247.) Et c'est alors qu'il se ré-accorde avec son père, avec son moi, avec son nom, avec le langage, avec l'Etat ; et qu'il se sépare, très significativement, de la fausse pièce de monnaie qu'il abandonne à Laura.

« Bernard se leva. Laura lui prit la main :
— Dites encore : cette petite pièce que vous nous montriez hier... en souvenir de vous, lorsque je partirai — elle se raidit et cette fois put achever sa phrase — voudriez-vous me la donner ?
— Tenez ; la voici ; " prenez-la ", dit Bernard. » (P. 254.)

Cette pièce fausse ne lui appartient plus, ne l'intéresse plus à la fin de cette longue conversation où Bernard se réconcilie intérieurement avec la dimension de *vérité* des équivalents généraux, c'est-à-dire dans leur fonction d'*étalon des valeurs* (dimension idéale et mesurante de l'archétype) plutôt que dans leur fonction de pur substitut, ou dans leur fonction de présence empirique. Comme dans la situation platonicienne c'est Eros qui a permis l'accès à la mesure transcendante.

Ainsi le rapport au *langage,* à la *monnaie,* au *père,* à l'*Etat* et au *nom propre* se distribue selon un *même* axe métaphorique ; qui commande lui-même la question centrale de la vérité. Cet axe métaphorique est celui de l'*étalon* des mesures. C'est le rapport amoureux à Laura qui permet à Bernard de retrouver la vérité des valeurs, de se réconcilier dans un même mouvement, avec le langage, avec le père, avec le nom propre, avec l'Etat, et tout cela subsumer directement et continûment par une métaphore de l'authenticité monétaire. Bernard dépasse la simple logique des purs substitutions, qui entraînent dans le jeu indéfini de l'abstraction et de la convention, sans qu'une valeur mesurante originaire ne puisse être assignée comme point d'ancrage. Mais il dépasse aussi la logique empirique de la chose même (présente et corporelle). Il rencontre un troisième registre qui est celui de la mesure originaire et transcendante. Bernard accède à l'idée *de point de vue mesurant* à partir duquel peuvent se régler les échanges réels. Sans le site transcendantal de ce point de vue (qui n'est pas à proprement parler « un point de vue », optiquement occupable) il ne peut y avoir que faux-monnayage, soit par une tromperie sur les valeurs réelles, soit par le manque de relation précise entre l'encaisse et les jetons circulants. Mais cet accès intuitif, en retour, retentit sur le régime des échanges (rapports aux mondes et aux autres) en rendant concevable une entité à la fois mesurante, incarnée et échangeable.

Il est tout à fait remarquable que nous trouvons ici, présenté dans leur rigoureuse « isotopie », tous les éléments dont nous avions montré la solidarité structurale dans notre texte *Numismatiques*. Notre approche théorique rencontre ici un point d'application interprétative exemplaire. Tous les éléments dont nous avions démontré, à l'issu d'une analyse à la fois génétique et structurale qu'ils se constituent comme des « équivalents généraux » des échanges, suivant une détermination métabolique qui les place en position de signifiants hégémoniques et régulateurs, se retrouvent rigoureusement dans le roman de Gide. On peut dire que c'est cette homologie objective, qui permet à Gide de faire fonctionner si bien sa métaphore monétaire. A partir d'une image de la fausse monnaie, Gide peut faire travailler un champ métaphorique extraordinairement large et cohérent, *parce qu*'il existe une homologie objective et signifiante entre le site de *tous* les équivalents généraux. A retrouver tous les éléments isotopiques qu'il a fait jouer, très habilement et presque, dirait-on, systématiquement, on pourrait soutenir que Gide a écrit *le roman des équivalents généraux* et de leur mise en question. C'est le sujet radical du roman. Au point qu'il nous paraît que l'intuition *fictionnelle* qui a conduit la mise en place de Gide, semble anticiper, à sa manière, sur notre propre appréhension *théorique* de ces concordances.

# 7. L'archétype du cristal

Très tôt, dans les notes laissées par Gide sur une partie non-publiée de son Journal (cité par Jean Delay) se rencontre la formulation précise d'une conception constructiviste du roman, par opposition à une conception simplement représentative. Le roman n'a pas pour objet de refléter la réalité, comme le ferait un miroir. Il doit être construit *a priori*. « Le roman doit prouver à présent qu'il peut être autre chose qu'un miroir promené le long du chemin — qu'il peut être supérieur et *a priori* — c'est-à-dire déduit, c'est-à-dire composé, c'est-à-dire œuvre d'art [1]. » Dans ce court manifeste pour un roman futur, Gide rejette virtuellement, dès 1894, toute l'esthétique traditionnelle du roman réaliste. On reconnaît dans cette conception le tournant qui, parallèlement en peinture, va conduire à l'abstrac-

---

1. J. DELAY, *La jeunesse d'André Gide,* II, p. 666, Paris, 1957.

tion. On trouverait chez Kandinsky ou Malévitch des formules à peu près comparables. Le tableau n'est pas miroir de la nature extérieure (imitation, copie, re-présentation) mais il doit obéir à des lois propres spécifiquement picturales qu'il n'est pas possible de déduire de l'objet. La peinture abstraite remonte jusqu'à des « a priori » du peintre, jusqu'à la source intérieure de toute organisation picturale, sans dépendre du *donné* perceptif [2].

Si les théoriciens de la peinture abstraite ont tenté de trouver des cautions philosophiques à la révolution qu'ils opéraient dans Platon (surtout pour Mondrian) ou dans un hégélianisme implicite (pour Kandinsky), il est clair que Gide, lorsqu'il formule son argument théorique, trouve ici des accents qui rappellent Kant. Il s'agit de découvrir les *formes a priori* du romanesque qu'il est possible de *déduire* transcendantalement, sans s'appuyer sur la *matière* fournie par l'expérience. Si le roman réaliste dépend d'une connaissance empirique, le roman « déduit » ou « composé » ne dépend, comme les mathématiques pour Kant, que d'une connaissance transcendantale. C'est une sorte de « jugement synthétique a priori ». L'ombre du philosophe de Koenigsberg plane sur la méditation du jeune Gide comme en témoigne encore cette formulation : « Le roman prouvera qu'il peut peindre autre chose que la réalité — directement l'émotion et la pensée ; il montrera jusqu'à quel point il peut être déduit, *avant l'expérience des choses* [3]. »

Ainsi le roman réaliste, celui qui *peint* la réalité (métaphore qui indique d'elle-même l'homologie avec le tableau) relèverait d'une philosophie empiriste (y compris la part empiriste de la philosophie cartésienne) tandis que le roman

---

2. Cf. nos analyses dans *Les iconoclastes.*
3. J. DELAY, *op. cit.,* p. 666.

« déduit » ou « composé » relèverait de l'idéalisme objectif ou transcendantal [4].

C'est cette sorte de roman *a priori* que Gide ne cessera d'essayer d'écrire. Mais il s'en faut qu'un tel dessein ait pu aboutir. Avec *Les Faux-Monnayeurs,* œuvre de l'âge mûr, Gide retrouve un projet de jeunesse, mais il ne réussit qu'à demi (avec une radicalité atténuée) à le mener à bien. Ce que la peinture a réussi très vite reste pour la littérature, en 1925, une tache encore énigmatique et incertaine.

Dans *Les Faux-Monnayeurs* le projet gidien du « roman a priori » est *mis en représentation* davantage qu'il n'est réalisé contre toute représentation. Gide n'écrit pas un « roman a priori » mais l'histoire d'un romancier dont le projet est d'en écrire un. Au jour le jour Edouard *décrit* son travail d'écrivain comme une lutte entre « les faits proposés par la réalité, et la réalité idéale » (p. 234) ou encore, très semblablement, entre « la résistance des faits » et « la construction idéale » (p. 255). Il entend partir de l'idée. Certes il accueillera les faits, mais à condition qu'ils se plient à une pensée préalable. « Je consens que la réalité vienne à l'appui de ma pensée, comme une preuve ; mais non point qu'elle la précède. » (P. 491.) A travers Edouard

---

4. Gide a effectivement été influencé par des lectures de Platon et de Kant. Il lit en 1891 les *Observations sur le sentiment du Beau et du Sublime* de Kant dont il écrit alors : « C'est plutôt un traité de morale (...) la morale doit être a priori. » Sur ce point voir Rejean ROBIDOUX, *Le traité du Narcisse (théorie du symbole) d'André Gide,* Ed. de l'Université d'Ottawa, 1978. Remarquons encore ceci : plutôt que comme une rencontre contingente cette influence décisive serait à penser comme l'étayage philosophique et esthétique de l'orientation protestante de Gide. On sait en effet que, comme l'affirme couramment les théologiens protestants « Kant est *le* philosophe du protestantisme » (cf. par exemple les remarques de Paul TILLICH, *A history of Christian Thought,* New York, 1968, p. 362).

s'expose un conflit non résolu, ouvert, entre forme et matière, idéalité et réalité.

Formulées ainsi, ces exigences sont plus platoniciennes que kantiennes. Et il y a en effet un platonisme poétique très constant chez Gide. Ce n'est pas dans *Les Faux-Monnayeurs,* malgré les formules d'Edouard, qu'il s'affirme de la manière la plus forte. Un passage du *Traité du Narcisse* est à cet égard d'autant plus éclairant que la nostalgie profondément platonicienne qui s'y exprime, passe par la métaphore du *cristal.* Ce même cristal donc, qui compose sous la couche d'or apparente, la monnaie illustrant le projet d'Edouard.

Narcisse, au paradis, rêve :

« *Quand donc le temps, cessant sa fuite, laissera-t-il que cet écoulement se repose. Formes, formes divines et pérennelles ! qui n'attendez que ce repos pour reparaître, oh quand, dans quelle nuit, dans quel silence, vous recristalliserez-vous ?*

*Le paradis est toujours à refaire, et n'est point en quelque lointaine Thulé. Il demeure sous l'apparence. Chaque chose détient virtuelle l'intime harmonie de son être, comme chaque sel, en lui, l'archétype de son cristal ; — et vienne un temps de nuit tacite, où les eaux plus denses descendent : dans les abîmes imperturbés fleuriront les trémies secrètes (...)*

*Tout s'efforce vers sa forme perdue (...)* [5] »

Ce texte d'un Gide poète, devenu Narcisse, éclaire à plus d'un titre le Gide des *Faux-Monnayeurs.* La rivière du temps s'écoule incessamment et Narcisse appelle un repos

---

5. Nous soulignons « l'archétype de son cristal ».

et un silence où les Formes, ces *formes divines et éternelles,* pourront réapparaître, retrouvant leur *structure cristalline.* Car sous l'apparence, il y a la Forme intacte. Et de même que chaque sel contient en lui l'*archétype* virtuel qui dans une solution-mère, lui permettra de devenir cristal, toute chose détient en son intimité l'essence invisible qui fera d'elle une Forme idéale et éternelle dès que les eaux silencieuses et denses l'envelopperont. La forme que l'on croyait perdue, le cristal de la chose, son idée céleste, de nouveau s'exposera.

Ainsi s'oppose deux mondes : celui du flux temporel ou de l'apparence ; et celui des formes éternelles. Celui de l'agitation, de l'écoulement, de la fuite. Et celui, paradisiaque et célestial, où se révèle l'essence des choses, vérité cristalline

On ne peut être plus près de Platon. Et il est remarquable que ce texte nous apprenne sans ambiguïté ce que signifie pour Gide le cristal, et donc la monnaie de cristal. Sous l'apparence sensible d'une pièce de monnaie en or, faite pour entrer dans la circulation incessante où passe le flux des valeurs marchandes, il y a une autre réalité. Les amis de la Terre et les épiciers de la littérature ne verront que l'apparence. Quelques amateurs et les amis des Idées découvriront la structure cristalline. Là est la Forme. Là est l'éternité. Le roman pur. L'Idée du roman. L'Archétype.

Cohérence d'un destin et d'un dessein, dans le cheminement de Gide. Car il n'est pas, répétons-le, de meilleure traverse pour atteindre *Les Faux-Monnayeurs,* ce roman tardif, que le précoce *Traité du Narcisse,* cette théorie poétique du symbole. C'est dès ce début que le cristal, substance interne de la fausse-monnaie romanesque, dit ce qu'il est, et que la ligne platonicienne (et kantienne) de l'esthétique de Gide, se formule lumineusement. Il faut encore relire ces lignes :

« Les apparences sont imparfaites : elles balbutient les vérités qu'elles recèlent ; le Poète, à demi-mot, doit comprendre, puis redire ces vérités. Est-ce que le Savant fait rien d'autre ? Lui aussi recherche l'archétype des choses et les lois de leur succession ; il recompose un monde enfin idéalement simple, où tout s'ordonne normalement. »

« Mais ces formes premières, le Savant les recherche, par une induction lente et peureuse, à travers d'innombrables exemples ; car il s'arrête à l'apparence, et, désireux de certitude, il se défend de deviner. »

« Le Poète, lui, qui sait qu'il crée, devine à travers chaque chose — et une seule lui suffit, symbole, pour révéler son archétype ; il sait que l'apparence n'en est que le prétexte, un vêtement qui la dérobe et où s'arrête l'œil profane, mais qui nous montre qu'Elle est là. »

« Le Poète pieux contemple, il se penche sur les symboles, et silencieux descend profondément au cœur des choses, — et quand il a perçu, visionnaire, l'Idée, l'intime Nombre harmonieux de son Etre, qui soutient la forme imparfaite, il le saisit, puis insoucieux de cette forme transitoire qui le revêtait dans le temps, il sait lui redonner une forme éternelle, *sa* Forme véritable enfin, et fatale — paradisiaque et cristalline. »

« Car l'œuvre est un cristal — paradis partiel ou l'Idée refleurit en sa pureté supérieure : où comme dans l'Eden disparu, l'ordre normal et nécessaire a disposé toutes les formes dans une réciproque et symétrique dépendance, où l'orgueil du mot ne supplante pas la Pensée —, où les phrases rythmiques et sûres, symboles encore, mais symboles purs, ou les paroles, se font transparentes et révélatrices. »

L'éclat platonicien de ces versets est à lui seul une clé d'or. L'esthétique qui s'y formule baigne dans la lumière d'une très antique tradition philosophique. Les choses visibles ne sont que des apparences, des *vêtements* qui cachent la vérité. Il faut savoir à travers cet apparat monter (ou descendre) au cœur des choses, vers la loi et l'idée, vers le nombre de l'Etre. Et là saisir la Forme véritable, la Forme céleste et cristalline, où se révèle, comme transparence, l'ordre supérieur des choses. Le savant et le poète, tous deux, recherchent cet archétype, s'ils le font par deux voies différentes. Le savant, lent et peureux, doit accumuler les faits et les exemples pour découvrir la Forme ; il suffit au poète de recevoir toute chose comme *symbole,* pour percevoir l'Idée, l'intime Nombre harmonieux et éternel. Il sait alors, dans une œuvre de langage où s'exprime la Pensée, faire de cette Forme un cristal. Le *cristal de l'œuvre est ce paradis partiel* où l'archétype refleurit, grâce à la transparence du langage.

Tel est le cristal gidien. Si la substance intime de la monnaie des *Faux-Monnayeurs* est de cristal, ce n'est pas par une invention accidentelle. En lui se dit un espoir et une nostalgie qui furent ceux du jeune Gide. Qui pensait ensemble Platon et Mallarmé. Car chez Mallarmé aussi, et d'abord, domine cette esthétique de l'Idée. La parole, dans son état essentiel, est évocatoire de l'Idée ; elle suggère, par réminiscence, « l'absente de tout bouquet », sans la gêne d'un proche ou concret rappel... [6]

Et pourtant que de distance entre la rêverie sublime de Narcisse qui songe à ce beau cristal de l'œuvre, comme à un chemin vers le paradis, et le romancier des *Faux-Monnayeurs* qui bricole au jour le jour un inconsistant roman spéculaire, un roman pur, si pur qu'aucune main

---

6. Dans la deuxième partie nous analysons « la monnaie de Mallarmé » dans son rapport avec celle de Gide.

humaine sans doute ne pourra jamais l'écrire ! Car ce ne
sera pas, en fin de compte, un cristal que le poète, en un
geste auguste, offrira aux hommes profanes le regard
tourné vers l'empyrée, mais plutôt une pièce d'or, fausse,
que le romancier fera circuler sur le marché du langage,
pour les épiciers de la littérature. Comment est-on passé
ainsi du Temple à la bourse des valeurs, du Ciel au tiroir-
caisse, de l'Acropole au comptoir de commerce ? Comment
le saint langage qui était destiné, en ses phrases rythmiques
et sûres, à la révélation visionnaire de l'Idée, est-il devenu
ce « numéraire facile et représentatif » ? Comment la
parole, chez le poète avant tout « rêve et chant », pour
reprendre la frappe mallarméenne, est-elle devenue cette
pièce de monnaie que l'on se passe de main en main, en
silence, dans l'universel reportage ?

On mesure la cohérence interne de la structure significative à laquelle Gide s'est confronté. Sans doute ne s'agit-il
pas d'une cohérence complètement réfléchie, mais l'on sait
bien qu'une fiction obéit à des contraintes et une ordon-
nance qui en créent la rigueur intrinsèque au-delà de la
cogitation réflexive de l'auteur. Il y a une véracité de la
bonne fiction qu'il faut prendre en compte au-delà, ou en
deçà, des catégories du su et de l'insu.

Tout se passe comme si la mission sacrée du Poète, de
faire de l'œuvre d'art ce cristal « où tout refleurit en sa
pureté supérieure », s'était dégradée pour devenir le travail
réflexif du romancier qui construit sur des idées abstraites.
L'idée perd sa pureté platonicienne, son *numen* apollinien
pour devenir concept, abstraction de l'intellect. Ainsi du
*Traité du Narcisse* aux *Faux-Monnayeurs* une même inspi-
ration philosophique anime la visée esthétique. Mais avec
un déplacement vers le monde de la prose. Dérive du
*poète* au *romancier,* du *sacré* au *profane,* des *Idées* aux
*idées,* et en un mot du Cristal (qui redonne forme éternelle

aux Archétypes) au mince cristal circulant dans le subterfuge mineur d'une contre-façon.

Cette « dégradation » ne pouvait mieux se dire que par l'invention gidienne qui fait alors du cristal la substance d'une *monnaie circulante*. Le cristal éternel d'une pensée fidèle à l'Archétype des choses entre, comme monnaie dans l'échange profane, sur le marché du langage. On croit saisir ici, en raccourci, un devenir de la pensée occidentale. L'Etre selon l'aphorisme heideggerien, se dégrade en valeur. Disons, d'une autre façon, que le sens-archétype se « dégrade » en sens-conceptuel ; par le mouvement des substitutions et de l'échange, le *logos* devient la *logique,* cet « argent de l'esprit » (Marx).

La valeur-archétype descend sur le marché, participe aux commerces quotidiens, et perd ainsi, par usure et décoloration, son numen sacré. L'étalon n'est plus ce qui mesure, depuis le lieu transcendant, le sens et la valeur des signes et des choses qui se comparent et s'échangent mais il entre lui-même dans le commerce. Il passe de la fonction sacrée et transcendantale de Mesure (idéalité) à la fonction profane d'échange dans laquelle il peut être remplacé, peu à peu, par de simples signes de lui-même (symbolicité pure). Dès lors, inexorablement, par la logique même de la circulation intensifiée, par le jeu indéfini de la substitution en chaîne, avec ses reports et ses différés, se développe le *devenir-jeton* de l'équivalent général.

L'histoire occidentale de la valeur, c'est le passage inexorable *des Archétypes aux jetons,* ce que d'aucun, dans un langage d'une toute autre extraction que le nôtre, nommerait dégradation, ou nihilisme.

L' « histoire de la métaphysique », c'est l'histoire *monétaire* de l'économie, le devenir valeur, sur le marché des échanges, de ce qui fut divin, numineux, étalon non-échangeable, source inappréciable de ce qui vaut.

Dans le système du jeton, stade achevé du règne de l'équivalence générale, la dimension du *mesurant archétypal* est bientôt la plus méconnue, la plus exclue par la logique même des métabolismes signifiants. Le *numen* est devenue l'idée, l'idée est devenue concept, et le concept n'est plus lui-même signification, mais simple valeur pure, dans le système « arbitraire et différentiel » du jeu des signifiants [7].

La fiction de Gide est contemporaine d'un moment de l'histoire des échanges, où l'équivalent universel, ébranlé dans sa dimension d'*archétype de l'Un* (l'axe situant le Père, l'Or, la Langue, le Phallus) commence à cesser de pouvoir fonctionner d'une façon crédible dans sa fonction de *Représentant* à cause de la dégradation progressive du représentant en jeton, simple élément signifiant à la convertibilité suspendue, hypothétique. La fiction, tout en tâchant de maintenir pour le langage une dimension d'idéalité (renvoyant à l'archétype), déplace insensiblement cette idéalité vers la pure construction de l'intellect. Le poème conforme à l'Idée devient, plus prosaïque, le roman à idées. Le pur cristal, qui signifiait d'abord la fidélité à l'archétype, dans l'œuvre de jeunesse, devient dans *Les Faux-Monnayeurs,* plutôt ce « cristal de l'entendement » dont parle Hegel [8] ou plus encore le noyau « artificiel et construit » (p. 324) qui est la substructure inapparente de toute œuvre de fiction, fut-elle la plus splendidement dorée et inspirée.

Position de Gide : la pièce d'or n'est plus crédible (écroulement des garanties) mais il s'agit de rechercher une idéalité nouvelle dans le registre de l'abstraction constructive (le cristal). C'est le drame d'une époque que Gide

---

7. Voir plus loin notre analyse de Saussure, qui établit la distinction entre « signification » et « valeur » à partir d'une comparaison avec la monnaie.
8. *Phénoménologie de l'Esprit,* Aubier.

préfigure. La *structure* tâche à suppléer à l'effondrement central de toutes les valeurs-étalons. C'est une configuration esthétique, philosophique, épistémologique qui ne prendra toute son ampleur qu'un demi-siècle plus tard. Ainsi le *cristal formel* est à la fois le résultat inévitable d'un monde qui a perdu son authenticité en mettant en circulation des jetons sans couverture, et déjà la tentative de remplacer cette dévaluation totale du *pur* numéraire économique et linguistique par une structure capable de résister à l'érosion, à l'usure, de se dresser comme une construction *a priori* devant le non-sens d'une représentation devenue mensongère. Le formalisme, le structuralisme, ou l'abstraction, sont à la fois l'effet de la perte de crédibilité de toute représentation et la tentative pour opposer à la dévaluation et au discrédit du sens profond et vécu, l'éternité et la solidité d'une géométrie de l'intellect. Le cristal de la forme par ses *a priori* structuraux, essaie de retrouver le lieu des Idées, mais il ne s'agit que de la construction rationaliste dans l'élément culturel *où capitalisme et protestantisme* ont fait régner l'iconoclasme du concept.

## 8. Roman pur et travail spéculaire

Sophroniska qui déjà suspecte les écrivains de mettre
en scène des personnages qui manquent de fondations,
doute que la musique de Bach, et surtout *l'Art de la fugue,*
ce beau mécanisme chiffré où s'engendre une composition
à partir de purs lois formelles, puisse devenir un modèle
d'écriture littéraire. Elle n'y voit qu'un monument de
science. Certes tourné vers le ciel, mais un ciel aussi rationnel que celui des astronomes, et dans lequel l'âme qui s'y
élève ne découvre qu'une implacable et rigoureuse méca-
nique. En somme, le Dieu de Bach ce protestant, serait le
dieu des philosophes et des savants. Ce n'est pas à l'image
des arches ténébreuses d'une nef gothique que se construit
son chant, mais plutôt d'une coupole astronomique ou d'un
planetarium.

Cette œuvre de littérature pure, sans pathos ni humanité,
ne conviendrait dès lors qu'à de rares élus — comme dans
la philosophie de Platon la contemplation mystique des
Formes, au-delà des séductions du monde sensible et de la
mimésis trompeuse.

Mais de plus la peinture et la musique ont leurs exigences propres, qui ne sont pas celles de la littérature. Edouard, parce qu'il ne peut abandonner tout à fait son ancien rapport à la réalité objectale, est déchiré entre deux exigences opposées. Il refuse de se soumettre aux événements empiriques, mais il ne passe pas complètement du côté de la forme pure. Il est partagé entre son attrait pour « la construction idéale » et « la résistance des faits » (p. 261). D'où cette position que le narrateur explicitement dénonce, dans les idées de l'écrivain : « L'illogisme de son propos était flagrant, sautait aux yeux d'une manière pénible. Il apparaissait clairement que, sous son crâne, Edouard abritait deux exigences inconciliables, et qu'il s'usait à les vouloir accorder. » (P. 234.) Mais cette antinomie dans laquelle il se débat, devient alors le sujet même du livre qu'il est en train d'écrire. « Je commence à entrevoir ce que j'appellerais le " sujet profond " de mon livre. C'est, ce sera sans doute la rivalité du monde réel et de la représentation que nous en avons. » (P. 261.) Ce qui se formule aussi, plus distinctement : « A vrai dire, ce sera là le sujet : la lutte entre les faits proposés par la réalité et la réalité idéale. » (P. 185.)

Or nous voyons mieux maintenant que c'est cette scission entre les « faits » et les « idées », cette opposition entre deux exigences inconciliables — mais qui finit par constituer le sujet du roman —, qui se métaphorise comme production et mise en circulation d'une *fausse monnaie*. La fausseté de la pièce signifie la fausseté de l'esthétique du roman, qui hésite entre or et cristal, entre apparence figurale et abstraction, entre dorure représentative et transparence idéelle. Pas d'homogénéité de fonte, et d'unité de frappe. Et il est assez clair que la contradiction, voire l'illogisme que Gide choisit d'attribuer à son personnage fictif d'écrivain, est aussi la contradiction majeure avec laquelle

97

il est lui-même en débat en tant que scripteur des *Faux-Monnayeurs,* de sorte que son livre constitue un roman faux, encore pris massivement dans les codes du réalisme le plus classique (c'est ce qui saute aux yeux parfois péniblement) mais qu'il est travaillé aussi, en son dispositif, par une autre exigence [1].

En son dispositif : une succession de coupes brisent avec la perspective monocentrée, en multipliant les angles de vue (« cubisme » littéraire sur lequel nous reviendrons). Et surtout la *mise en abyme* des « faux-monnayeurs » interroge le mode de représentation dans la représentation.

Car le travail de Gide, son retors travail de faussaire, c'est de mettre en abyme, par le personnage d'Edouard, son débat réflexif avec le texte qu'il écrit (ou avec la littérature en général) tout en déroutant suffisamment ce rapport pour qu'Edouard écrivant *Les Faux-Monnayeurs* fictif soit et ne soit pas l'image possible du scripteur des *Faux-Monnayeurs* réel. Ce premier dispositif est lui-même compliqué par l'intervention inopinée de celui qui s'énonce comme l'auteur de l'ensemble du roman que le lecteur est en train de lire, et qui réfléchit sur la psychologie de tous les personnages qu'il vient d'inventer, en se demandant comment il va pouvoir poursuivre cette histoire.

---

1. C'est cet aspect qui, comme on pouvait s'y attendre, a suscité les appréciations les plus négatives sur ce roman. *Les Faux-Monnayeurs* est resté l'œuvre de Gide la plus critiquée. On a déploré sa substance « volatile » (Jean HYTIER, *André Gide*) ou encore « la minceur de sa substance » (Germaine BRÉE, *André Gide, l'insaisissable Protée*, Paris, 1953) ; on a dit l'impossibilité de la résumer (Wallace FOWLIE, *André Gide, His Life and Art,* New York, 1965) et parfois sa confusion. D'où la réaction de Gide : « Qu'il m'eût été facile de rallier les suffrages du grand nombre en écrivant *Les Faux-Monnayeurs* à la manière des romans connus, décrivant les lieux et les êtres, analysant les sentiments, expliquant les situations... » (J. A. G., p. 938.)

D'où ce rapport d'emboîtement et de décrochement qui oblige à distinguer au moins trois « écrivains » à partir du texte que nous lisons : 1/ le *scripteur* des *Faux-Monnayeurs* (instance qui renvoie au travail d'écriture dont un certain André Gide est l'agent) ; 2/ le *narrateur* des *Faux-Monnayeurs* (instance d'énonciation du roman, qui d'abord passe inaperçue, et qui en deux endroits au moins émerge linguistiquement comme « auteur » de tout ce que nous venons de lire, et se met à « juger ses personnages » y compris Edouard comme de pures créations de fiction (« l'auteur imprévoyant s'arrête un instant, reprend son souffle, et se demande avec inquiétude où va le mener son récit — p. 274) ; 3/ *l'écrivain Edouard,* ce personnage central des *Faux-Monnayeurs* de Gide, qui projète d'écrire le livre fictif dont le titre est *Les Faux-Monnayeurs.*

Trois « écrivains » dont on pourrait dire en toute rigueur linguistique, pour chacun d'eux : « Il écrit un roman intitulé *Les Faux-Monnayeurs* », bien que la réalité de ces trois « êtres » se situe à des degrés logiques et ontologiques bien différents. Cependant, il y a encore un quatrième « écrivain » qui vient rendre infini ce jeu de miroir. Edouard, en effet, tient ce propos sur la conception du livre qu'il projette, un livre scindé entre la présentation de la réalité, et l'effort pour la styliser : « Pour obtenir cet effet, suivez-moi, *j'invente un personnage de romancier, que je pose en figure centrale, et le sujet du livre, si vous voulez, c'est précisément la lutte entre ce que lui offre la réalité et ce que, lui, prétend en faire.* » (P. 233.) Ce stratagème inventé par Edouard pour l'écriture de son roman *Les Faux-Monnayeurs* est strictement semblable au stratagème proposé par Gide dans son roman de même titre, où il dessine effectivement un personnage de romancier, Edouard, placé en figure centrale. La position du personnage d'Edouard dans *Les Faux-Monnayeurs* de Gide est donc l'homologue de la position prévue du « personnage du romancier » dans le roman fictif d'Edouard intitulé *Les Faux-Monnayeurs.* C'est le propre de ce type de construction en abyme que de permettre cette ouverture vertigineuse sur l'infini [2]. On saisit en ce point l'*œil* du dispositif — ou sa tâche aveugle. Le point de fuite où la représentation se représente infiniment sans aucun point d'arrêt possible, virtuellement. Le roman du roman du roman du roman (à l'infini) troue la représentation en la réfléchissant [3]. Or de même que cet

---

2. Sur la mise en abyme, dans sa double signification héraldique et spéculaire, chez Gide et d'autres auteurs, voir le travail éclairant de Lucien Dällenbach, *Le récit spéculaire, essai sur la mise en abyme,* Ed. du Seuil.

3. Parmi les exemples que donne Gide de ce qu'il nomme dans son *Journal,* dès 1893, la « mise en abyme » suivant un terme emprunté à l'art du blason, se trouvent d'abord (avant Hamlet et Wilhelm Meister) quelques cas picturaux : « Ainsi, dans tels tableaux de Memling ou de Quentin Metzys, un petit miroir convexe et sombre reflète à son tour, l'intérieur de la pièce où se joue la scène peinte. » (*Journal* 1889-1936, N. R. F., La Pléiade, 1948, p. 41.) L'allusion à Quentin Metzys est d'autant plus remarquable que l'un des tableaux célèbres de ce peintre qui répond à ce procédé de mise en abyme par le miroir convexe (et qui se trouve au Louvre où Gide a pu le contempler) s'intitule *Le Banquier et sa femme* ou *Le Peseur d'Or.* Nous trouvons donc curieusement préfiguré dans ce tableau ce qui sera agencé dans *Les Faux-Monnayeurs* : la conjonction du dispositif de la mise en abyme avec le thème de l'évaluation de l'authenticité de l'or, de sa mesure. On pourrait s'interroger sur la nécessité qui rattache le thème de la mesure de l'or au dispositif de la représentation redoublée (le spéculatif et le spéculaire — ou la spéculation et la spécularité) et qui semble insister jusque dans le roman de Gide pour atteindre un point de rupture. Sans doute la question quasi transcendantale du *point de vue mesurant* encadre-t-elle à la fois le dispositif de la *perspective monocentrée* du tableau et celui de l'évaluation économique par l'équivalent général (or) qui fonctionne comme *mesure unique* des valeurs échangeables. Dans les deux cas la question du point de vue à partir de quoi se fait l'évaluation (ou la représentation) se trouve exposée.

Ajoutons que la mise en abyme des *Faux-Monnayeurs* est plus complexe et radicale que celle de *Paludes* (1895) qui n'est pas « infinie ».

Edouard d'Edouard permet au romancier du roman de Gide de résoudre la scission entre les faits et la construction *a priori,* il est manifeste que le romancier du roman de Gide, Edouard, est ce qui permet à Gide de résoudre la même scission. Ainsi *l'écriture dans l'écriture* — qui conduit à produire le roman « faux » — est *le* stratagème fondamental qui permet de résoudre l'antagonisme permanent entre « les faits proposés par la réalité » et « la construction idéale », en *exposant* cet antagonisme. Par le roman du roman c'est la question de la représentation qui devient le *sujet* principal du livre. Représenter la représentation est le seul moyen d'exhiber et de traiter ce titre de « sujet profond » du roman, le problème de « la rivalité entre le monde réel et la représentation que nous en avons » (p. 254).

Cependant en certains points vifs la structure en abyme induit presqu'inévitablement le lecteur à identifier purement et simplement Edouard écrivant *Les Faux-Monnayeurs* à une image de Gide écrivant le roman du même nom, identification entre un agent réel et un personnage de fiction qui, ici, ne passe plus par la confusion naïve entre l'auteur et le narrateur, mais plutôt par un système de miroir soigneusement calculé par lequel le scripteur dispose une image de son propre travail d'écriture à l'intérieur du cadre de son écriture. La publication parallèle d'un *Journal des Faux-Monnayeurs* où Gide rend compte du processus d'écriture des *Faux-Monnayeurs* en des termes qui parfois pourraient être ceux du romancier fictif, complique la spéculation et la déroute. Stratagème de la peinture du peintre qui se peint en train de peindre le tableau que l'on voit déjà peint ; ce qui suppose, évidemment, que dans le tableau fictif se retrouve en plus petit et à l'infini une image du peintre et du tableau, de même que dans le roman de Gide

*Les Faux-Monnayeurs,* le personnage d'Edouard écrit un roman intitulé *Les Faux-Monnayeurs* dans lequel un personnage de romancier écrit un roman dont la description rapide évoque la structure des *Faux-Monnayeurs,* etc.

Cette disposition ne marque pas un refus radical de la représentation, mais plutôt une interrogation sur ses *limites,* en une question qui pourrait prendre elle-même la forme d'un redoublement : *que représente la représentation ?* Il s'agit de tracer un cadre, à l'intérieur du cadre. De faire du cadre, dans lequel s'expose le tableau, un objet de la représentation. C'est la représentation du cadre qui devient le cadre de la représentation. Ou mieux encore : une réflexion active sur les conditions de *production* de la représentation conduit à cette structure en miroir où c'est l'acte de produire le roman qui devient sujet du roman, en un redoublement infini dont la modernité a assuré le principe, en y reconnaissant la valeur quasi ontologique d'un véritable cogito scriptural à placer au fondement d'une nouvelle forme de littérature.

Gide certes maintient une centralité. Un personnage d'écrivain est placé « en figure centrale », et c'est surtout à travers lui que la fiction se dispose. Mais d'une part cette position laisse subsister d'autres points de vue irréductibles à son optique, et d'autre part, elle se creuse par le dispositif de l'abyme jusqu'à ouvrir non pas sur une simple conscience réfléchissante, mais sur une *image du travail de production* du dispositif littéraire. Ainsi la centralité du « héros » n'est plus seulement épique ou même biographique. Elle n'est plus ce qui assure « le point de vue » et qui permet de constituer le monde en tableau. Ce n'est plus la représentation du monde qui importe au premier chef, mais en une conversion décisive, l'opération de production de cette représentation. Le livre n'a plus pour but de donner une image de la réalité mais une image du travail de production qui rend possible la constitution d'une image de la réalité. Cette conversion est à la fois thématisée et effectuée par Gide, thématisation et effectuation renvoyant d'ailleurs réciproquement l'une à l'autre dans un jeu de miroir et de mise en abyme. Ainsi Edouard déclare (dans ce qui apparaît comme la version fictive du *Journal des Faux-Monnayeurs* de Gide) à propos du roman qu'il est en train d'écrire :

« A vrai dire, du livre même, je n'ai pas encore écrit une ligne. Mais j'y ai déjà beaucoup travaillé. J'y pense chaque jour et sans cesse. J'y travaille d'une façon très curieuse, que je m'en vais vous dire : sur un carnet, je note au jour le jour l'état de ce roman dans mon esprit ; oui, c'est une sorte de journal que je tiens, comme on ferait celui d'un enfant... C'est-à-dire qu'au lieu de me contenter de résoudre, à mesure qu'elle se propose, chaque difficulté (et toute œuvre d'art n'est que la somme ou le produit des solutions d'une quantité de menues difficultés successives), chacune de ces difficultés, je l'expose, je l'étudie. Si vous voulez, ce carnet contient la critique de mon roman ; ou mieux : du roman en général. Songez à l'intérêt qu'aurait pour nous un semblable carnet tenu par Dickens, ou Balzac ; si nous avions le journal de *L'Education sentimentale,* ou des *Frères Karamazov* ! l'histoire de l'œuvre, de sa gestation ! Mais ce serait passionnant... plus intéressant que l'œuvre elle-même... »

Edouard espérait confusément qu'on lui demanderait de lire ces notes. Mais aucun des trois autres ne manifesta la moindre curiosité. Au lieu de cela :

" Mon pauvre ami, dit Laura avec un accent de tristesse ; ce roman, je vois bien que jamais vous ne l'écrirez.

— Eh bien ! je vais vous dire une chose, s'écria dans un élan impétueux Edouard : ça m'est égal. Oui, si je ne parviens pas à l'écrire, ce livre, c'est que l'histoire du livre m'aura plus intéressé que le livre lui-même ; qu'elle aura pris sa place ; et ce sera tant mieux. " » (P. 186, 187.)

Enfant, gestation : le roman n'est plus un produit fini, achevé, clos, livré tel quel à la consommation du lecteur, et ne portant plus trace du processus de production. Ce qui est digne du plus grand intérêt n'est pas l'œuvre, mais l'*histoire de l'œuvre*. Au lieu de livrer les difficultés résolues (toute œuvre étant une somme ou un produit) l'écrivain les délivre, les *expose*. Ce n'est plus le roman terminé, mais le compte rendu du *travail* problématique et critique sur le roman (celui qui est en train de s'écrire, mais aussi le roman en général) qui suscite l'intérêt. « Oui, si je ne parviens pas à l'écrire ce livre, c'est que l'histoire du livre m'aura plus intéressé que le livre lui-même ; qu'elle aura pris sa place, et ce sera tant mieux. » (P. 235.) Gide thématise ici un *tournant dans l'intérêt* dont l'importance nous paraît considérable, d'autant que ce tournant, encore incertain et énigmatique en littérature à l'époque où Gide écrit *Les Faux-Monnayeurs,* a pris depuis un sens théorique et une portée pratique qui en valide rétrospectivement le moment. Tout se passe comme si à une prise en compte exclusive de l'*objet* signifiant succédait un intérêt pour le processus de production de l'objet en tant qu'il contient plus de sens (de valeur) que objet fini. C'est la *génération* de l'objet signifiant qui se voit chargée de toute la passion que l'on portait à l'objet achevé. D'un côté, pour reprendre les termes de Gide : « travail », « critique continue », « histoire », « gestation ». De l'autre : « somme », « produit ». Il est clair que ce déplacement se dit ici en des termes qui *à la fois* appartiennent au vocabulaire de l'économie politique (travail, produit) et qui signifie quelque chose de spécifique dans le domaine de la littérature. Que tout le dispositif romanesque de Gide, par la métaphore intitulante qu'il met en circulation, soit fondé sur cet « à la fois », nous paraît particulièrement remarquable. Car si toute l'opération de Gide consiste dans *Les Faux-Monnayeurs* à dire la question littéraire en terme d'économie politique, il n'est pas d'une mince signification que ce soit non seulement en terme de monnaie, mais aussi de rapport entre le travail et le produit, que se dise cette question. En des attendus qui touchent inséparablement l'échange économique et l'échange linguistique, quelque chose, ici, se déplace et se problématise : les rapports entre le produit textuel et le travail de langage *comme* les rapports entre la marchandise (y compris la monnaie-marchandise) et le travail de production de cette marchandise.

Le sens le plus lourd (car c'est l'origine du sens) n'est pas dans l'œuvre mais dans l'histoire de l'œuvre. Une histoire qui est travail et gestation. Gide retrouve au début du xxe siècle, pour le roman, une condition que Hegel avait déjà formulée et pratiquée pour la pensée philosophique au début du xⁱxe siècle. « La vérité n'est pas comme le produit dans lequel on ne trouve plus trace de l'outil. [4] » Le chemin fait lui-même partie de la vérité. D'où l'inévitable métaphore monétaire qui recoupe étonnamment l'imaginaire gidien : « *La vérité n'est pas comme une monnaie frappée qui, telle quelle, est prête à être dépensée et encaissée* [5] » écrit Hegel. La vérité n'est pas la monnaie-or capitalisable, mais le travail de production qui donne valeur à toute monnaie. Ainsi de même que pour le philosophe de l'histoire, c'est le dur labeur de la conscience sur elle-même et au prise avec son autre qui est itinéraire de vérité et

---

4. HEGEL, Préface à *la Phénoménologie de l'Esprit*, trad. J. Hyppolite, Aubier, Paris, 1939, p. 34.
5. *Id.*

qui fait son prix, de même pour Gide ce n'est pas l'œuvre finie, monnaie-or mise sur le marché du langage, qui a de la valeur, mais c'est la trace de l'histoire quotidienne et patiente de la création de l'œuvre, ou peut-être encore et enfin sa construction toute idéelle, son cristal.

Que ce déplacement, de plus, engage comme tout l'indique clairement, la question de la représentation, et nous voyons dès lors se mettre en place un tissu singulièrement tendu de surdétermination qui fait de ce livre de Gide, sous l'apparence d'un roman encore classique, un lieu de fracture, de réflexion, de diffraction, et réellement l'étrange cristal qu'il projetait de constituer, sous un dehors indiscernable.

La dénonciation de la réification de la marchandise et de la monnaie consiste à révéler sous l'apparence d'une valeur en soi et d'une autonomie prise par l'objet, une opération de production qui est la source de toute valeur. Plus généralement encore la réification est le mode d'objectivité (ou d'apparence d'objectivité) qui règne dans un système sociosymbolique dominé par la forme de valeur « équivalent général » circulant et la critique de la réification serait une dénonciation de cette fausse objectivité, qui se manifeste, entre autre, dans un certain type de représentation. N'y a-t-il pas dans le roman de Gide une critique homologue concernant la chose littéraire ? Ne s'agit-il pas de révéler sous l'apparence du roman réaliste qui se donne comme une représentation pleine et immédiate, un travail de construction ? N'y a-t-il pas un déplacement de la valeur (ou du sens) de l'objet produit vers l'*opération* même de production ? Déplacement s'accompagnant nécessairement du discrédit porté sur le dispositif représentatif dominé par l'objet réaliste. N'est-ce pas ainsi une critique de la réification linguistique qui est dessinée — et encadrée significativement par la métaphore monétaire ?

Nous n'avançons pas ces questions pour en déduire que Gide, sciemment, a repris pour la littérature une dénonciation dont il aurait trouvé chez Marx le moule critique — bien que Gide, on le sait, se soit rapproché de plus en plus des positions théoriques du marxisme, précisément dans les années qui ont suivi l'époque des *Faux-Monnayeurs*. Si Gide a bien donné, avec cette fiction une sorte de « critique de l'économie littéraire » suivant un mouvement de contestation de la chose romanesque parallèle, pour cette « mentale denrée » à celui de Marx pour la denrée économique (mais dont Marx, attaché à une littérature réaliste n'aurait pu avoir la notion) c'est qu'un même procès historique les conduit, et surtout la mise à jour de certaines orientations critiques à partir desquelles ce procès peut être mis en cause.

Dans notre texte « l'inscription du travail » [6] nous formulions les bases d'une homologie entre valeur monétaire et sens linguistique (ainsi que ses conséquences critiques) en des attendus qui peuvent éclairer le « faux-monnayage » gidien. Au lieu d'un *sens-échange* (qui est aussi le sens-représentation, comme le corrobore la métaphore de Mallarmé) correspondant à la domination de la sphère de la circulation sur celle de la production et à la réification de l'équivalent général, le scripteur critique propose un *sens-production*. Le travail du texte n'est plus subordonné à un sens défini par le marché sémantique où règne le principe échangiste de l'équivalence générale. Chez Gide le faux-monnayage consisterait à maintenir un sens-échange (le revêtement doré de la pièce de monnaie) tout en subvertissant cette apparence par un sens-production sous-jacent (le cristal, métaphorisant le versant constructif). Il est bien sûr

---

6. Cf. *Economie et symbolique*, p. 125 et suiv.

tout à fait remarquable que ce soit directement à partir de la métaphore monétaire que Gide dispose cette opposition. Tout se passe comme si la sphère de l'échange correspondait au langage-or (l'échange pouvant s'entendre ici comme équivalence entre la chose et ce qui la signifie dans l'acte de la représentation, ce qui rappelle strictement la monnaie de Mallarmé comme métaphore du « reportage »), tandis que la production, qu'on l'entende comme travail textuel *ou* comme génération idéaliste d'un sens plus « originaire » que la représentation réaliste, correspondait à l'intérieur cristallin.

Dans ce procès se joue quelque chose de décisif, renvoyant aux bords du système socio-symbolique dans lequel se constitue à présent notre pensée. Ce n'est pas seulement la remontée critique du produit au travail de production, mais aussi du signifiant à ce qui le génère, et donc la question de l'engendrement du sens, qui se trouve affrontée. Car c'est dans le même mouvement qu'est rencontrée, au-delà du produit, la question de la *source et mesure de la Valeur,* et au-delà des signes donnés, des représentations, des images, la question de la *source productive et mesurante du Sens.* Dans les deux cas nous rencontrons en effet le site d'une mesure hors-échange à effet transcendantal. Le site mesurant renvoie nécessairement à la position d'un « *arché* » à partir duquel peut se faire l'évaluation, et qui rend donc possible la régulation transcendante des substitutions [7]. Ce n'est donc pas un hasard si, accompagnant la métaphore monétaire qui rattache la préoccupation de Gide à l'économie politique, nous trouvons cependant un horizon tout différent, où nous reconnaissons plutôt un débat avec des préoccupations philosophiques platoniciennes ou kantien-

---

7. Nous montrions dans *Numismatiques* la nécessité structurale de ce site.

nes : celles des Idées ou des *a priori,* voire des archétypes
qui constituent le lieu de la question de la *source* productive du sens. Chez Mallarmé, comme chez Gide, c'est à
partir de références platoniciennes que se constitue la critique de la réification représentative du langage. Il n'en
reste pas moins que le mouvement critique qu'ils dessinent
présente un lien étroit avec la critique de la réification
*économique.* Elle lui est homologue. Chaque fois que la
métaphore monétaire s'inscrit dans leurs attendus, on peut
vérifier la consistance de cette homologie. Ce n'est pas la
métaphore monétaire qui prouve cette consistance, mais
c'est la cohérence de son emploi qui confirme avec précision
une homologie qu'on pourrait prouver par d'autres voies.

Le moment qui s'indique ici est à repérer dans une
temporalité longue, comme advenue d'une nouvelle interrogation sur la *valeur,* interrogation dans laquelle les notions
même de sens, d'origine, de circulation, de production du
sens, etc. se trouvent engagées. Le parallèle entre langage
et monnaie, littérature et économie politique, n'est pas ici
un simple rapprochement mais il est rendu possible et
opératoire par ce qui travaille en même temps ces deux
économies.

Il s'agit d'un changement dans le principe de *légitimation* des pratiques, qui renvoie très au-delà de la littérature,
à une transformation du régime socio-symbolique. Tout se
passe comme si l'on assistait ici au passage d'une légitimation fondée sur *l'échange d'équivalent et la représentation*
(les deux aspects étant corrélatifs) à une autre légitimation,
encore incertaine, qui cherche à se fonder directement sur
le processus de production lui-même, ou plus profondément
sur le lieu des Mesures qui en détient le sens.

En tant que transition entre le roman perspectiviste et
un roman de type abstrait, *Les Faux-Monnayeurs* pourrait

être désigné, si l'on voulait pousser jusqu'au bout l'homologie avec l'histoire de la peinture, comme un *roman cubiste*. Car dans sa forme intérieure le cubisme est ce moment rapide de l'histoire de la peinture européenne où l'objet est encore figuré, mais où il est aussi défiguré par la logique interne du tableau. La destruction de la perspective monocentrée atteint ici un point critique ; elle s'opère par la multiplication des points de vue sur l'objet, amalgamés dans le même tableau. Le cubiste détruit la perspective en pluralisant les angles de vue et en les rattachant les uns aux autres suivant une logique inobjective. En cela, il précède immédiatement le passage à l'art abstrait, tout en maintenant un rattachement ultime à la figuration. Delaunay a très bien vu que le cubisme par « l'introduction de plusieurs points de vue d'un objet sur la toile » [8] relève encore de la vision perspectiviste. Il apporte une modification qui dénonce la convention picturale du point de vue, mais qui ne l'abandonne pas complètement.

Le roman de Gide, formellement, occupe une position comparable. Il maintient la figuration (l'histoire, les personnages) tout en brisant et concassant et désarticulant la représentation unitaire. Son roman est cubiste en tant qu'il multiplie les angles de vue et qu'il les amalgame dans un même cadrage romanesque dont l'unité est difficile, sinon impossible, à trouver. Ce n'est pas encore l'abandon du point de vue, et la renonciation à l'individualité focalisée, mais c'est une multiplication des coupes sur la réalité à partir d'angles de vue variés et incoordonnables. Gide à cet égard, savait ce qu'il faisait. « Le roman, tel que je le reconnais ou l'imagine, comporte une diversité de points de vue soumis à la diversité des personnages qu'il met en scène ;

---

8. Robert DELAUNAY, *Du cubisme à l'art abstrait,* éd. S.E.V.P.E. N., Paris, 1957, p. 57.

c'est par essence une œuvre déconcentrée. [9] » En adoptant, une construction complexe, avec des fractures, des changements de niveau narratif, des combinaisons d'angles de vision, Gide brise la guitare et le compotier comme un Braque ou un Picasso [10]. Ainsi, de même qu'en peinture la combinaison des angles de vue, dont joue le cubisme, conduit inexorablement à la dissolution de la figure (et d'abord la figure humaine, le portrait — la figure est défigurée) pareillement la tentative littéraire de multiplier les points de vue ne peut conduire qu'à dissoudre de plus en plus l'intégrité du personnage. Une certaine idée cartésienne de l'unité ontologique de l'*ego cogitan,* comme centre de vision, se défait en même temps que la certitude littéraire de la consistance d'un personnage capable de mettre le monde en tableau, à partir de son unique perspective.

La multiplication cubiste des angles de vue, ne peut que signifier historiquement un doute aigu sur la possibilité de trouver un *accord* entre la perspective singulière des individus et un point de vue universel.

La perspective monocentrée classique implique qu'entre plusieurs angles de vue accidentels, il existe une coordination possible, un *accord final des points de vue,* ce qui rend compatible, dans une même conscience de soi, le point de vision universel de la Science (ou de la perception objective) et le point de vision singulier de la subjectivité reflexive. Toute la métaphysique optimiste de l'époque bourgeoise comme son économie et sa philosophie, est fondée sur la croyance en l'harmonisation toujours possible entre le *telos*

---

9. Projet de Préface pour *Isabelle, O. C.* VI, p. 361.
10. Le seul point de vision qui pourrait former ombilic est la réflexion sur l'écriture. Le roman trouve ici une focalité, mais c'est précisément sur le mode problématique qui renvoie aux conditions de la production de la représentation.

des individus en tant qu'individu, et le *telos* universaliste de la collectivité, par coordination des points de vue et des points de fuite y compris dans la forme politique de la représentation.

Or il y a un lien étroit entre un tel dispositif idéal de l'*accord* et la médiatisation des échanges par des *équivalents généraux circulants*. Dans ce régime, les valeurs universelles sont aussi des valeurs circulantes. Ce qui fait fonction de mesure n'est pas retiré dans une transcendance inaccessible et hors-échange (comme étalon-archétype placé religieusement dans quelque sanctuaire) mais c'est aussi ce qui descend dans la circulation, à titre de moyen d'échange effectif, pour les transactions entre les individus. Dans l'équivalent général *circulant* la fonction idéale de mesure universelle des valeurs vient coïncider avec la fonction substitutive ou symbolique d'instrument d'échange dans les rapports pratiques inter-individuels. Il y a donc une homologie complète entre *le monocentrement échangiste produit par l'équivalent général circulant, et la perspective monocentrée*. Dans les deux cas le sujet *individuel* devient le lieu possible d'une mesure *universelle*. Ainsi se trouve explicable structuralement la solidarité historique maintes fois constatée entre l'apparition d'un certain type de société *marchande* et l'apparition de la perspective monocentrée à l'époque de la Renaissance. L'échange des activités vitales, sous la domination du principe de l'équivalent général circulant, entraîne la coïncidence possible du point de vue subjectif et du point de vue universel, en une même représentation.

Dès lors, il n'est pas surprenant que ce soit aussi au même moment qu'apparaissent la crise des équivalents généraux et la crise de la représentation perspectiviste. C'est tout le dispositif de centralité échangiste, faisant coïncider dans un même tableau, *les* points de vue subjectifs et *le* point de vue universel, qui se trouve ébranlé. Ainsi chez

Gide. Dans les *Faux-Monnayeurs,* avec une cohérence exemplaire, la crise des équivalents généraux est strictement contemporaine d'une crise de la perspective. *Les Faux-Monnayeurs* sont à la fois le roman de la « diversité de point de vue » et le roman qui enregistre à partir de la métaphore monétaire, l'ébranlement du système échangiste fondé sur une certaine modalité de l'équivalent universel. Ce qui apparaît comme perversion des valeurs (faux-monnayage) est la crise d'une certaine modalité historique de la valeur : celle qui était régie par l'équivalent général *complet* (mesurant, circulant, incarné). A présent, la monnaie circulante assurant les échanges effectifs entre des singularités qui confrontent leurs points de vue, ne coïncide plus avec une hypothétique monnaie universelle mesurante (registre de l'archétype). Et cette monnaie circulante ne coïncide pas davantage avec une monnaie incarnée (registre du réel). Il y a désintrication de la fonction de mesure, de la fonction d'échange et de la fonction de thésaurisation. Ce qui était équivalent général complet (du temps de la circulation de l'or, et de ses homologues) éclate en un effet de faux-monnayage généralisé.

# 9. Les iconoclasmes

Un thème protestant se déploie dans le roman fugué. Il est discret, mais si l'on en suit les ramifications, si on l'amplifie, il apparaît comme l'un des nœuds les plus surdéterminés de la crise qu'expose *Les Faux-Monnayeurs*. Nous dirons que la fausse pièce de monnaie elle-même, est le produit du problème protestant avec lequel le roman de Gide est confronté. Elle en synthétise et allégorise les tensions et les apories.

Reprenons le cas Edouard. Le romancier s'abandonne à sa pente qui est celle de l'abstraction (le cristal) tout en donnant à celle-ci une apparence plus séduisante, plus *imagée* (l'effigie dorée) mais aussi plus trompeuse. Constamment cette orientation spontanée d'Edouard vers les idées et l'écueil que cette tendance constitue pour l'écriture d'un « vrai » roman est répétée. D'Edouard il est dit que « son cerveau, s'il s'abandonnait à sa pente, chavirait vite dans l'abstraction » (p. 238). Chacun autour de lui craint qu'il ne fasse un roman d'idées, dicté par des idées, en vue des idées : « Ne craignez-vous pas, en quittant la réalité, de vous égarer dans des régions mortellement abstraites, et de faire un roman non d'êtres vivants, mais d'idées. » (P. 235.) Risque que semble justifier le projet même de l'écrivain fictif qui prétend au métaphysique : « Le roman s'est occupé des traverses du sort, de la fortune bonne ou mauvaise, des rapports sociaux, du conflit des passions, des caractères, mais point de l'essence même de l'être. » (P. 156.)

Or, cette position ambiguë et difficile du personnage d'Edouard dont Gide fait explicitement un protestant, est celle-là même que Gide, ici ou là, se reconnaît à lui-même en tant qu'écrivain de culture protestante, c'est-à-dire formé par une religion dont on sait l'accent qu'elle porte sur l'*éthique pure* et l'anathème qu'elle voue aux images.

Gide n'écrit-il pas, dans une des pages de son Journal, en nommant certains de ses amis (comme P. Louys et même Valéry) : « Je représentais pour lui, pour eux, le protestant, le moraliste, le puritain, le sacrificateur de la forme à l'idée, l'anti-artiste, l'ennemi [1]. » Enumération qui est une longue équation où le terme de « protestant » constitue le point de départ. En tant que religion *sans image* (et sans expression métaphysique du féminin) ne laissant aucune place aux effusions de l'âme et insistant sur la rationalité de la croyance, le protestantisme apparaît comme favorable à la pensée théorique, à l'abstraction conceptuelle, mais méfiant envers les séductions de la forme, et ennemi de l'art [2].

---

1. 1931, *Journal* 1889-1939, La Pléiade, p. 1034.
2. On sait que Max Weber, dans *l'Ethique protestante et l'esprit du capitalisme* (1920) a insisté sur « l'attitude radicalement négative du puritanisme à l'égard de tout espèce d'élément sensuel ou émotionnel dans la culture et la religion subjective ». Ainsi l'iconoclasme puritain va jusqu'à considérer toute relation personnelle purement

Gide est conscient de cette orientation d'une partie de son être, et construit un personnage de romancier en débat avec cette sensibilité (la plus « moderne » qui soit, si l'on excepte l'authentique athéisme) ; à la fois déterminé par elle, et en opposition déchirée avec elle.

Le drame qui sous-tend la recherche d'Edouard est celui de l'incompatibilité entre la direction protestante de sa sensibilité (vers l'abstraction conceptuelle qui refuse toute image aussi bien réaliste que fantastique) et les exigences de la fiction romanesque qui reste dominée par le mythe de la *peinture* des mœurs et des caractères. Ce n'est pas *en tant que protestant* que Gide (ou Edouard) peut écrire un roman, mais seulement dans une marge contestataire. Encore que la contestation, ici, le ramène inexorablement à sa sensibilité initiale puisque c'est un roman *pur, abstrait* « exprimant l'essence même de l'être » à la façon peut-être d'une philosophie spéculative ou d'une musique de Bach, que l'écrivain cherche à écrire. Ce n'est que la plus abstraite

---

sentimentale comme une « idôlatrie de la créature ». On sait que Weber montre les liens entre cette rationalisation extrême de la conduite et de la croyance (point ultime du processus de « désenchantement du monde ») et les pratiques de l'économie moderne, après que Marx ait indiqué maintes fois de son côté les liens historiques entre le développement du capitalisme et la Réforme. En ce qui concerne le rapport du protestantisme à l'art, il faudrait ajouter que par sa tendance iconoclaste (pas de peinture religieuse) le protestantisme a favorisé par contre-coup, à un degré extraordinaire, l'expression musicale qui ne tombe pas sous le coup de l'interdiction de figurer. La référence à la musique de Bach comme modèle pour une écriture littéraire abstraite peut s'entendre dans ce sens. Sur le lien entre protestantisme et musique, cf. les remarques de H. Jaeger dans « La mystique protestante et anglicane », in *La Mystique et les mystiques,* Desclée de Brower, 1965, p. 257 et suiv. : l'exclusion de tout ce qui pourrait faire songer à une présence immanente de Dieu dans le monde conduit à placer la foi uniquement dans *l'audible* (parole et musique) où l'âme parle à l'âme.

métaphysique ou la musique la plus formalisée qui puissent satisfaire sa nécessité intérieure.

D'où le conflit entre la forme (sensible) et l'idée (abstraite) qui est au cœur du roman comme de toute l'esthétique de Gide depuis le *Traité du Narcisse*. Ainsi la monnaie de cristal revêtu d'or, l'idée abstraite circulant sous l'apparence trompeuse d'une effigie brillante, cette solution ambiguë des *Faux-Monnayeurs,* ne prend toute sa signification que par l'aporie protestante dans laquelle Gide se déplace. Il choisit de ne plus *paraître* sacrifier la forme sensible à l'idée, pour satisfaire ce qu'il y a en lui d'artiste (d'iconophile) mais c'est un pieux mensonge. On croit qu'il fait une *peinture* romanesque, mais c'est une théorie de la littérature déguisée en roman.

Ainsi Gide a voulu problématiser, par le personnage d'Edouard, les rapports d'exclusion entre le culte protestant et l'émotion artistique (tout comme inversement Mallarmé fait l'éloge de la valeur esthétique du culte catholique, et est hanté, on le sait, par le modèle formel de la messe). Ce qui témoigne le mieux de cette conjoncture protestante est la description du temple pendant le sermon du vieux pasteur :

« J'aurais voulu savoir ce que pensait Olivier ; je songeai qu'élevé en catholique, le culte protestant devait être nouveau pour lui et qu'il venait sans doute pour la première fois dans ce temple. La singulière faculté de dépersonnalisation qui me permet d'éprouver comme mienne l'émotion d'autrui, me forçait presque d'épouser les sensations d'Olivier, celles que j'imaginais qu'il devait avoir ; et bien, qu'il tînt les yeux fermés, ou peut-être à cause de cela même, il me semblait que je voyais à sa place et pour la première fois ces murs nus, l'abstraite et blafarde lumière où baignait l'auditoire, le détachement cruel de la chaire sur le mur blanc du fond, la rectitude des lignes, la rigidité des colonnes qui soutiennent les tribunes, l'esprit même de cette architecture anguleuse et décolorée dont m'apparaissaient pour la première fois la disgrâce rébarbative, l'intransigeance et la parcimonie. Pour n'y avoir point été sensible plus tôt, il fallait que j'y fusse habitué dès l'enfance... » (P. 99.)

Les termes de la description ne peuvent tromper : murs nus, lumière abstraite et blafarde, mur blanc du fond sur lequel se détache cruellement la chaire, rectitude des lignes, rigidité des colonnes, architecture anguleuse et décolorée... Ce qui domine dans ce tableau (ce tableau abstrait) c'est *l'angle droit* et le *blanc*. L'iconoclasme protestant, dont Hegel fait la condition même de la philosophie spéculative, apparaît ici comme éthique et esthétique, sous le regard d'Edouard. Austérité qui pourrait d'abord paraître le sublime dépouillement de l'âme qui se détache du sensible et s'élève vers le monde immaculé des idées pures et infigurables, mais qui, par un contre-coup dont Gide a mesuré les effets, débouche aussi sur la platitude rationaliste, la sécheresse éthique, la frigidité émotionnelle. Le sublime, de s'user dans le quotidien, et de tarir tout autre élan à force d'être inimaginable, tourne au rébarbatif, à l'intransigeance et à la parcimonie. Tel est l'ambiguïté de ce « dénuement sensuel qui jette l'âme si périlleusement loin au-dessus des apparences » (p. 99). Le divorce de la raison et de la sensibilité, la scission mortelle entre la pensée pure et l'émotion, Kant et Hegel dans la constellation protestante l'ont vécu et montré à leur manière ; ils étaient à la poursuite d'une impossible Esthétique qui produirait la conciliation. Gide en témoigne d'une tout autre façon, en romancier, lorsqu'il dit simplement que dans le bureau du vieux pasteur « l'atmosphère de la pièce était si austère qu'il semblait que des fleurs y dussent faner aussitôt » (p. 105). Oui des *fleurs*. Faner aussitôt. Le romancier fictif cherche à s'évader du puritanisme, à devenir l'iconoclaste de cet iconoclasme. Position difficile dont le roman, ce faux-monnayage, témoigne ; entre l'or de l'image et le cristal de l'idée. Il analyse en lui, ce qui reste protestant, sans pouvoir devenir autrement que protestant. « Un certain amour de l'ardu et l'horreur de la complaisance (j'entends celle envers soi) c'est peut-être de la première éducation puritaine ce dont j'ai le plus de mal à me nettoyer. » Mais comment se nettoyer du « pur », comment enlever les taches à ce qui est décoloré. Comment blanchir le blanc. Contradiction d'Edouard : faire le projet d'un « roman pur » alors qu'il voudrait se nettoyer du pur, du puritanisme. Car le pur ici n'est pas une vraie conquête, ni une véritable innocence. Il voit plutôt le puritanisme comme une affectation dans la blancheur, et une incapacité entretenue à sentir et à ressentir. A sentir les mauvaises odeurs. Les protestants « ont le nez bouché » (p. 127).

Dans sa critique sévère du protestantisme qui est en lui, Edouard dénonce un manque de conscience de *l'ombre,* le refus de percevoir ce qui est noir, nauséabond et vicié, pour se maintenir coûte que coûte sur les hautes cimes neigeuses, là où l'air est toujours pur, frais, transparent. Comme si cette volonté de dénuement sensuel conduisait, par le mouvement même de son évasion vers le haut, à la méconnaissance du côté infernal, qui est en soi-même : « On trouve plus souvent parmi les catholiques une appréciation, parmi les juifs une dépréciation de soi-même, dont les protestants ne me semblent capables que bien rarement. (...) Les protestants, eux, ont le nez bouché ; c'est un fait. Et moi-même je ne m'aperçus point de la particulière qualité de cette atmosphère aussi longtemps que j'y demeurai plongé.

Je ne sais quoi d'ineffablement alpestre, paradisiaque et niais. » (P. 102.)

Mais c'est aussi sur le fond blanc et nu de cette absence d'images et de couleur qu'il faut entendre par contraste l'exigence excessive du jeune Dhurmer concernant la littérature. Le désir que les mots peignent. Fassent images. Surtout s'il s'agit, comme par hasard, d'une femme. De la robe d'une femme. « J'ai poussé jusqu'à la page trente sans trouver une seule couleur, un seul mot qui peigne. Il parle d'une femme ; je ne sais même pas si sa robe était rouge ou bleue. Moi quand il n'y a pas de couleurs, c'est bien simple, je ne vois rien — *Et par besoin d'exagérer, d'autant plus qu'il se sentait moins pris au sérieux, il insistait :* — Absolument rien. » (P. 13.)

Une femme ça s'imagine. C'est l'imagination même. Et il serait trop facile de montrer comment dans les relations manquées d'Edouard et de Laura, c'est une carence à la fois dans le rapport au *féminin* et à l'*image* qui est en jeu [3].

Gide (à travers Edouard) suggère la place d'une sorte de Bach ou de Mondrian de la littérature. Mais le roman qu'il écrit n'est pas homologue à un tableau de Mondrian. A moins de concevoir que sous l'épaisseur de la peinture réaliste se découvre à qui sait gratter une composition géométrique. Sous la couche d'or, le cristal. Travail de faussaire : sous la croûte d'un roman classique avec histoire et personnage, la pure géométrie calculée d'un tableau abstrait.

---

3. On pourrait alors lire l'homosexualité d'Edouard comme un symbole de ce déficit imaginal. Etrange mise en scène choisie par Gide : c'est dans le temple même, pendant qu'il réfléchit à l'architecture blanche, décolorée, rigide, abstraite, qu'il a devant lui et qu'il médite à la fois sur Laura (qu'il n'aime plus) et sur ce « dénuement sensuel qui jette l'âme si périlleusement loin au-dessus des apparences » qu'Edouard cherche à séduire son jeune neveu Olivier.

*Sous les dorures vieil or d'un icône bien catholique, la pureté conceptuelle d'une composition protestante.*

Gide devait-il produire cette contre-façon pour passer la douane des frontières qui séparent les genres littéraires, quittant l' « essai » pour aller du côté « roman » ? En déclarant « c'est un roman » il passe les frontières de l'imagination. Mais il introduit une pièce qui sous couvert d'œuvre de fiction, cache le calcul de la raison structuraliste. Porte à faux de la position gidienne du point de vue du parti pris littéraire. Gide n'écrit pas tout à fait un roman abstrait, ni tout à fait un roman réaliste. Il ne passe pas complètement du côté de la fiction géométrique et pure que pourtant il suggère.

A cette forme ambiguë, fausse, correspond fidèlement l'une des ambiguïtés d'un des plans du contenu romanesque. Edouard projette un roman pur, formel comme une fugue de Bach, *a priori* comme la classification kantienne des catégories, cristallin comme un archétype idéal, mais simultanément il souffre de l'abstraction, et d'une tendance réflexive qui atteint son image du monde, de soi et des autres. Sophroniska, la psychanalyste, diagnostique cette dissociation, et lui-même se demande : n'est-ce pas l'empêchement que j'éprouve à laisser parler mon cœur « qui précipite mon œuvre dans l'abstrait et l'artificiel » (p. 93).

Car ce qui domine ici n'est pas un iconoclasme militant, mais plutôt, tout à l'inverse, l'épreuve d'une *perte* de la capacité d'imaginer et de représenter. La position iconoclaste n'est pas occupée comme le site inexpugnable d'une vérité supérieure, d'où toute image serait soumise à la destruction impitoyable, mais plutôt soufferte par un sujet à son corps défendant, vécue comme une carence, un impouvoir, une déficience.

L'iconoclasme protestant toujours est déchiré. Et de cette blessure de l'âme naît constamment un anti-iconoclasme romantique qui restitue à l'imaginaire sa fonction affective et cognitive. Ici, ce mouvement reste peu perceptible, mais il apparaît cependant que ce n'est pas tant une *mimesis* trop réussie qui inquiète profondément l'écrivain fictif, qu'un véritable effondrement des ressources imaginables. Ce qui s'effondre, c'est la capacité même à produire une image, à camper des personnages, à s'intéresser davantage aux hommes qu'aux idées. Comme si la crainte enracinée, intériorisée, d'idolâtrer la créature, rendait impossible un rapport vivant au monde et à soi-même, et supprimait toute adhésion naïve au mythe romanesque qui nécessite une imagination vive du personnage. Car ce qui ronge l'image, ce qui l'amincit et bientôt la supprime, c'est l'abstraction — ici très habilement, en premier lieu, l'abstraction économique (« inflation », « dévaluation », « change ») qui risque de *remplacer* purement et simplement les personnages. La peinture (des mœurs, des caractères, des lieux, des événements) est dissoute, effacée, par le travail diffus et corrosif d'un *idéalisme abstrait* qui se métaphorise par les idées économiques, et finalement par la notion étrange mais cohérente d'une *monnaie transparente.*

Ainsi, Gide fait le roman de l'impossibilité du roman pour une conscience qui ne partage plus les illusions du sémantisme naïf, qui n'accorde plus aucun crédit au réalisme représentatif. Ce faisant, indirectement mais savamment, il rattache cette disqualification de la forme romanesque traditionnelle, à une scission travaillant la subjectivité protestante c'est-à-dire la forme la plus aiguë et la plus avancée de la subjectivité « *moderne* »[4].

---

4. C'est en tant qu'il met en symptôme certaines contradictions de l'esprit protestant que Gide nous intéresse. Car en tant qu'hommes *modernes,* ce sont nécessairement et constitutivement les contradictions de l'esprit protestant qui sont les nôtres.

Trois iconoclasmes conjugués se répondent et s'entrecroisent thématiquement dans *Les Faux-Monnayeurs* :

1/ *l'iconoclasme économique*. La monnaie efface les différences qualitatives des matériaux et des travaux, pour l'homogène indifférencié de la valeur d'échange, sous la régie de l'équivalent général — ce qui s'expose aussi comme effacement de l'effigie en relief de la pièce d'or (la figure sensible) pour atteindre à la monnaie de cristal, ou au pur signe arbitraire du numéraire circulant ;

2/ *l'iconoclasme littéraire* dans le même mouvement d'abstraction conduit à remplacer la figure des personnages par des *idées* — qui sont finalement des concepts économiques. (« Les idées de change, de dévalorisation, d'inflation peu à peu envahissaient son livre (...) où elles usurpaient la place des personnages » ; p. 238.)

3/ *l'iconoclasme protestant* consonne avec les deux autres, comme « atmosphère très particulière », éthique et affective, de « pureté » et d' « abstraction ».

C'est un des points tout à fait remarquable de la fiction gidienne que d'avoir fait jouer ensemble ces trois iconoclasmes tendantiels, et d'avoir, à travers les incertitudes de l'écrivain réflexif Edouard, exposé les données symptomatiques d'une crise de la représentation qui se dit en des attendus à la fois économiques, littéraires et religieux. Il est bien évident qu'André Gide met cette crise en symptôme par la position subjective qu'il occupe dans un champ de signifiants culturels très complexes, davantage qu'il ne la pense. Il serait très long d'analyser en détail l'épaisseur historique de cette conjoncture. Il faudrait revenir sur la solidarité historique bien connue entre l'éthique protestante et le système capitaliste (soulignée par Marx, Sombart et Weber). Il faudrait faire valoir encore le rapport très étroit entre l'iconoclasme protestant et la spéculation philosophique moderne. Il faudrait montrer enfin en quoi la recherche d'un « roman pur » — en même temps que la difficulté existentielle à la produire radicalement — pourrait être rapportée à une certaine phase de l'économie capitaliste, vécue à partir de l'éthique protestante.

# II. L'archétype, le jeton, le trésor

Trois registres différentiables de la chose monétaire se tressent, se défont, se subordonnent les uns aux autres variablement suivant les régimes de l'échange. *Étalon des mesures,* l'équivalent général est un archétype auquel se réfère idéalement tout objet pour s'y évaluer. *Instrument d'échange,* l'équivalent général est un intermédiaire qui participe au mouvement incessant de la circulation et dont la substance devient indifférente devant le statut de simple signe ou pur symbole qui, par fonction, est le sien. *Moyen de paiement ou de réserve,* l'équivalent général est une richesse réelle, un objet présent doué d'une valeur dite intrinsèque, naturelle ou « en soi » (bien que soumise dans son être même à la donation de valeur par le site de la Mesure) qui ne se laisse pas remplacer.

Trois registres ontologiques qui ne sont jamais dans leur principe ni séparables ni fusibles, mais qui se disposent et se nouent de différentes façons dans ce qui n'apparaît qu'à tord comme *la* monnaie.

L'être du langage répond à la même disposition. Les logiques de la valeur et celles du sens sont congruentes.

Ce sont quelques figures de ces tressages et détressages parallèles qui seront décrites et analysées dans cette deuxième partie, suivant d'autres bords, angles, moments, de la même conjoncture socio-symbolique moderne dont *Les Faux-Monnayeurs* avait fourni un cas.

Insistant d'abord sur le règne triomphant du langage-or (représenté par Zola, et métaphorisé par Valéry), puis déchiffrant sa profonde mise en cause par la rupture que Mallarmé introduit, nous parvenons aux limites de la raison monétaire (Musil) et finalement (par le détour de Gœthe et de Ch. Gide) aux apories contemporaines de l'inconvertibilité du signifiant. Dès lors, reconsidérant différemment les dimensions du trésor et de l'archétype, notre analyse rend prévisible, dans une socialité dominée de plus en plus massivement par la logique du « pur substitut », le désir d'un rapport nouveau à l'instance mesurante, rapport encore mal dégagé, qui est la tentative de dépasser l'unilatéralité du « symbole insensé » qui régit nos échanges.

# 1. Réalisme et convertibilité

Tant que l'or circule en personne, nous sommes dans la littérature réaliste. Quand l'or est remplacé par des jetons (à la convertibilité mal assurée) nous entrons dans l'expérience non-figurative. La contre-épreuve d'une affirmation qui peut sembler trop radicale, ce serait ce Zola qu'invoque précisément le héros de Gide pour le réfuter. Zola est une contre-épreuve aussi bien par le dispositif romanesque (qui est réaliste jusqu'au « naturalisme ») que par la thématique elle-même.

Le meilleur exemple thématique est sans doute le roman dont le titre est tout simplement *L'Argent*. Ici, pour citer parmi beaucoup d'autres une phrase suggestive, c'est : « Ce tintement d'or, ce ruissellement d'or, du matin au soir, d'un bout à l'autre de l'année, au fond de cette cave, où l'or venait en pièce monnayées, d'où il partait en lingots, pour revenir en pièces et repartir en lingots, indéfiniment... [1] »

---

1. E. ZOLA, *L'Argent*, Fasquelle, 1954, p. 114.

Nous vivons dans le régime de l'or circulant. La monnaie n'est pas un jeton conventionnel, mais un fragment de lingot. Le roman, aussi bien, raconte une spéculation financière qui n'est jamais coupé de l'encaisse-or. C'est au plus près de la valeur intrinsèque ou « naturelle » que se produit la circulation. Et il nous semble que le dispositif *formel* de Zola, le réalisme représentatif, consone avec cette thématique romanesque où l'or, avec une emphase remarquable, circule en personne.

Certes, il y a aussi le risque de la « fiction ». Il travaille toute opération sur les valeurs. Or la fiction, le mensonge, c'est très précisément quand se relâche le rapport à l'or : « *Toujours le mensonge, la fiction avait habité ses caisses, que des trous inconnus semblaient vider de leur or* [2] » dit Zola de l'homme d'affaire. Mais ce personnage (Saccard) existe dans un univers où il escompte constamment « Non plus la richesse menteuse de la façade, mais l'édifice solide de la fortune, la vraie royauté de l'or trônant sur des sacs pleins [3]. » Ainsi, à la *fiction* d'une opération purement comptable ou nominale, où le risque de *trou* est toujours menaçant, s'oppose la *réalité* d'un appui solide sur un fondement d'or.

On ne saurait mieux trahir l'imaginaire économique très précis qui sous-tend ici le rapport entre la *fiction mensongère* (opération ne renvoyant à aucune encaisse-or) le *réalisme véridique* qui repose sur l'appui solide de l'or existant en personne. La fiction est une opération menteuse qui se produit lorsqu'il y a un trou dans l'encaisse-or, tandis que la vérité et la solidité impliquent la présence des sacs pleins, la garantie de l'or. Trouver une pareille opposition économique chez un écrivain qui se réclame d'un natura-

---

2. *Ibidem,* p. 7.
3. *Ibidem,* p. 7.

lisme quasi expérimental (« percevoir » la chose même) contre une littérature d'invention (de fiction) nous semble indéniablement révélateur d'une surdétermination profonde qui affecte les rapports entre l'imaginaire du langage et le statut de l'échange économique.

Il est significatif que, dans l'histoire de Saccard, derrière l'opération financière, abstraite, spéculative, où le risque existe que des kilos de titres en papiers perdent brusquement toute valeur, se maintient, malgré tout, le rapport possible à l'encaisse. On a donc ici une surdétermination du thématique par la structure (à la fois imaginaire et réelle) des échanges économiques. A *L'Argent* de Zola, roman réaliste (ou naturaliste) où la monnaie qu'il thématise est pensée sous le régime de l'or circulant, de la caisse et de l'encaisse, s'oppose *Les Faux Monnayeurs* de Gide, roman critique et réflexif, où la monnaie qu'il thématise est pensée sous le régime de la fausse monnaie ou du billet de banque — jusqu'à un point, inconnu de Zola, où la monnaie explicitement devient l'image même de la fausseté du langage.

La comparaison entre *L'Argent* et *Les Faux-Monnayeurs* confirme notre hypothèse suivant laquelle il existe une corrélation socio-historique très étroite entre l'esthétique (picturale ou littéraire) fondée sur le réalisme représentatif *et* le type de circulation monétaire où l'or comme équivalent général circule en personne (c'est-à-dire où la fonction d'échange coïncide avec la fonction de paiement ou de thésaurisation) ; et, d'autre part, une corrélation non moins étroite entre l'esthétique nouvelle fondée sur la non-figuration ou l'abstraction *et* un type de circulation économique où la monnaie est réduite à un « jeton » sans valeur intrinsèque dont la *convertibilité* est de plus en plus hypothétique. Dans ce dernier cas en effet, la fonction d'échange (correspondant au registre du symbolique pur) est *dissociée* complètement de la fonction de thésaurisation (correspondant au registre du réel) ; il n'y a plus coïncidence possible dans la chose monétaire, entre l'opération substitutive du « à la place de », et la présentation du trésor « en personne ». Ainsi, à un équivalent général qui est à la fois circulant et « réel » correspondrait une esthétique fondée sur l'illusion réaliste (celle d'un Diderot ou d'un Zola) tandis qu'à un équivalent général qui n'a plus qu'une fonction circulante (symbolicité pure du jeton) sans plus aucune *incorporation,* correspondrait une littérature et une peinture qui s'interroge de plus en plus sur le *medium* qui la rend possible, en renonçant aux illusions du réalisme. Le signifiant linguistique renvoie au signifiant linguistique, suivant une opération pour ainsi horizontale, mais aucun *référent* ne paraît se donner directement, en personne, à travers le signe. L'intérêt, exceptionnel à nos yeux, des *Faux-Monnayeurs,* est qu'on y voit *en même temps* se défaire l'illusion réaliste dans le langage, et la convertibilité dans la monnaie.

Economiquement, la corrélation dont nous parlons est d'autant plus probante que pour l'histoire monétaire, comme pour l'histoire des *doctrines* monétaires, le xixᵉ siècle, époque de Balzac et de Zola, est une époque remarquable. « Au xixᵉ siècle, temps de la monnaie stable, de l'étalon-or incontesté, et du billet convertible, l'économiste croit que les produits s'échangent contre les produits, et que la monnaie est neutre [4]. » C'est la phase de triomphe du capitalisme industriel en Europe. Il est significatif que pendant cette même période le romancier croit, lui aussi, à la convertibilité du langage en réalité référentielle. Il postule que le langage peut s'échanger contre les choses, en une équivalence pleine et entière qui constitue son pouvoir de repré-

---

4. P. Vilar, *Or et monnaie dans l'histoire, 1450-1920,* Flammarion, coll. Champ, p. 11.

sentation. De même que l'économiste pense que la monnaie est *neutre,* le romancier ne s'interroge pas sur le *medium* linguistique qu'il utilise, mais il le considère comme transparent, puisque le réel se donne directement à travers lui, en une opération d'équivalence (d'échange) où le mot vaut pour la chose. Le langage de Balzac et de Zola participerait donc du même statut que la *monnaie* bourgeoise : stable, avec un étalon-or incontesté, une convertibilité assurée, un échange immédiat qui fait de lui un medium neutre. La pièce d'or circulante est à la fois mesure des valeurs, réserve de valeur et instrument d'échange. En elle se tissent et se confondent les trois fonctions de l'équivalent général. Le commerce établit une équivalence entre des valeurs *réelles* ; la monnaie vaut pour la marchandise comme la marchandise vaut pour la monnaie, dans laquelle elle exprime son prix. Pareillement dans le langage-or de l'esthétique réaliste, les choses s'évaluent en langage, mais le langage en même temps vaut directement pour les choses.

Le langage-or, cependant, n'est pas seulement celui qui dit la réalité pleinement. C'est aussi celui qui exprime la vérité du sujet parlant. Non seulement le monde extérieur peut s'y représenter objectivement, mais une âme, ou une personne, peut s'y exposer adéquatement. En cela le langage-or, fondant et perpétuant le mythe de « l'auteur » est un langage où la subjectivité d'un sujet singulier, source et maître de sa langue, s'*imprime* profondément.

Ainsi, pour Victor Hugo, l'écrivain est semblable à un prince. Il bat monnaie. Il imprime sa marque à l'avers de la langue. « *Tout grand écrivain frappe la prose à son effigie* », énonce Hugo [5]. Ou mieux encore : « *Les poètes sont comme les souverains. Ils doivent battre monnaie. Il faut*

---

5. *Choses vues 1870-1885,* Gallimard, « Folio », 1972, p. 272.

*que leur effigie reste sur les idées qu'ils mettent en circulation.* [6] » L'écrivain, s'il est grand, laisse sa marque propre par l'originalité de son style, la frappe d'une impression qui donne une nouvelle figure aux signes de la langue. Il n'est pas seulement auteur, mais autorité émettrice. Il est vraiment *auctoritas.* Contrairement au procès d'usure démocratique et commerçante qui efface les reliefs, gomme les empreintes, jusqu'à la banalité d'une image effacée devenue monnaie courante (et qui rejoint la généralité pauvre de l'idée commune qui n'appartient à personne) le grand écrivain donne à la langue une singularité, en l'informant à sa propre image et ressemblance. Tandis que le tout-venant use la monnaie linguistique sur le marché anonyme, le poète tel un prince, redonne à l'or imprécis le type de sa figure, le coin de son impérial profil. Au nivellement égalitaire du marché populeux qui arrondit les angles de la taille, et rend la pièce méconnaissable, il oppose son nom et son identité, les contours de ses traits incomparables. Victor Hugo était fils d'un général d'Empire.

Valéry, comme en écho désabusé et sarcastique du trop superbe *dictum* hugolien selon lequel « tout grand écrivain frappe la prose à son effigie », lui inflige cette réplique : « Hugo est un milliardaire — ce n'est pas un prince. [7] » Tout se passe comme si Valéry, relevant le défi métaphorique, replaçait Hugo dans le régime *bourgeois* de la circulation linguistique. L'indéniable richesse verbale de Hugo ne suffit pas à lui conférer la noblesse d'écriture. Il est riche, ce n'est pas un monarque. Si sa langue est dépensière, elle brille par sa quantité, plus que par sa qualité ou son rang. Elle a beaucoup de caisse, mais peu d'autorité.

Et pourtant, l'image de la frappe monétaire ne déplaît

---

6. *Choses vues 1849-1869,* Gallimard, « Folio », 1972, p. 398.
7. *Mauvaises pensées et autres,* Gallimard, p. 41.

pas à Valéry. Tout au contraire. Il la présente ailleurs, et
la développe, avec un certain luxe de détail. Il explique
jusqu'au bout le jeu de la métaphore économique et politique. Il est vrai qu'il ne s'agit plus du « grand écrivain »
mais du « puissant esprit » :

> « Le puissant esprit, pareil à la puissance politique, bat
> sa propre monnaie, et ne tolère dans son secret empire
> que des pièces qui portent son signe. Il ne lui suffit pas
> d'avoir de l'or ; il le lui faut marqué de soi. Sa richesse
> est à son image. Son capital d'idées fondamentales et mon-
> nayé à son effigie ; il les a faites ou refondues ; et il leur
> a donné une forme si nette, il les a frappées dans un or
> si dur qu'elles circuleront à travers le monde sans altération
> de leurs caractères et de son coin [8]. »

On ne peut homologuer la production d'un langage échangeable à l'émission de monnaie-or avec plus de clarté. Le
puissant esprit est une autorité émettrice impériale qui,
dans le territoire intellectuel où il règne, possède le mono-
pole de la frappe monétaire. *Son* trésor (« capital d'idées
fondamentales ») ne circule que monnayé à son effigie. Ce
qui est frappé de la figure de l'auteur n'est pas un billet de
banque, un jeton susceptible d'érosion rapide, mais un *or
si dur* (de si bon aloi) qu'il pourra défier l'usure dans la
circulation. Douée d'une valeur intrinsèque, cette monnaie
de langage est aussi frappée d'un coin *subjectif* irréductible
qui en fait la légalité et la puissance. Ou mieux encore ce
n'est pas un « sujet » mais un « prince », qui s'y figure
et en garantit l'aloi.

Valéry métaphorise ici un moment historique précis de
la *confiance* linguistique. *Le langage-or, frappé à l'effigie*

---

8. *Tel Quel* ii, Gallimard, 1943, p. 85.

*de l'auteur* correspond à une conjoncture socio-symbolique déterminée. L'ego souverain (le grand écrivain, le puissant esprit) se fait *mesure universelle* des valeurs, et en même temps émetteur d'un *trésor* (*son* trésor) qui ainsi monnayé, devient *échangeable,* négociable. Il est clair que la fonction de mesure, celle de thésaurisation et celle d'échange (les trois fonctions de l'équivalent général) se conjuguent, se tressent en une *même* monnaie, instituant l'individu singulier en pôle de cette économie. Cogito impérialiste, ou génie romantique, c'est le moment où les pouvoirs de l'*auteur* sont révérés comme source et principe formateur du sens.

Hugo et Balzac sont les princes du langage-or, où le XIX<sup>e</sup> siècle triomphant a pu éprouver sa confiance absolue dans l'or bien frappée et sûr de la monnaie linguistique.

C'est cette grande époque économique du langage-or (réaliste du côté de l'objet et expressif du côté du sujet) qui montre des signes de déclin avec la profonde crise mallarméenne de la poésie (ou différemment, plus tard, et entre autres, avec la mise en cause gidienne que nous avons analysée). Récuser le langage-or revient à récuser à la fois la représentation réaliste (le « reportage ») et la notion romantique d'une *expression* de la personnalité singulière de l'auteur tout puissant dans la langue. C'est ce que fait Mallarmé. Il découvre dans l'angoisse que la frappe linguistique par l'auteur souverain est une illusion ou une imposture. A l'opposé d'un langage marqué à l'effigie orgueilleuse de l'écrivain qui en réglerait impérialement la circulation, il prône « la disparition élocutoire du poète qui cède l'initiative aux mots », en vue d'une « œuvre pure » [9].

Il est significatif que Mallarmé *nomme* cette rupture historique. Il l'appelle « mort de Victor Hugo ». La crise de

---

9. Crise de vers, in *Œuvres complètes,* « La Pléiade », p. 366.

vers (d'où nous extrairons plus loin l'inévitable métaphore monétaire) advient comme la mort du géant qui « était le vers personnellement », monopolisait la poésie, confisquait presque chez qui pense, le droit à s'énoncer [10]. Lorsque cette autorité vient à manquer, le lecteur, enfin, se déconcerte. Cette crise de vers est une crise de la monnaie de langage. C'est le dé-tressage des trois fonctions que l'on verra intervenir au début du XXe siècle. Aussi bien dans les arts et la littérature que dans la circulation monétaire se posera le problème de la référence. Si l'on peut parler dans le domaine économique de « l'abandon de la référence à une monnaie-marchandise concrète » [11] et donc à la fois d'un problème aigu de mesure des valeurs (étalon) et de rapport à l'encaisse (convertibilité hypothétique du jeton), pareillement en peinture et en littérature l'illusion d'une représentation possible et directe du réel, fera place à l' « abstraction » et à une réflexion de plus en plus aiguë sur le *medium* lui-même. Tout se passe comme si un certain moment privilégié du tressage entre l'archétype, le jeton et le trésor, qui permettait l' « effet de réalité », disparaissait devant un nouveau jeu entre les trois registres.

Au moment où Gide s'interroge sur l'archétype du cristal littéraire, Kandinsky, refusant toute équivalence possible entre les choses et le tableau (équivalence postulée par la peinture réaliste, et théorisée par exemple par Diderot) cherche une voie du côté des essences picturales, des *a priori,* des archétypes [12], comme si le retour vers des principes mesurants ou des « racines profondes » communes à

---

10. *Ibid.,* p. 360-361.
11. P. VILAR, *op. cit.,* p. 47.
12. Kandinsky recherche, par exemple, « les archétypes des lignes droites » qui sont la ligne horizontale, la ligne verticale, et la diagonale (cf. *Point, Ligne, Plan,* 1926, Denoël-Gonthier, 1970, p. 67).

des phénomènes différents [13] pouvait seul faire suite à la défaillance du référent réaliste et du dispositif de la représentation.

Les attendus monétaires de cette désintrication des trois registres peuvent être trouvés presque à découvert chez ceux qui ont rompu avec le réalisme de la représentation, soit du côté de l'idéalisme de la forme (comme Mallarmé) soit du côté du jeu ou du travail de l'écriture.

---

13. *Ibid.*, p. 135.

## 2. La monnaie de Mallarmé

La métaphore ici plus qu'ailleurs, car tirée d'un plus secret et profond trésor, y pèse son poids d'or. Comment lire ces quelques métaphores monétaires du langage qui dans la prose finement ciselée de Mallarmé, brusquement apporte le lourd tribut de l'économie politique ? Qu'elles n'y soient pas images de hasard, mais mesurées sur le trébuchet de la plus grande patience rédactrice, c'est ce qui nous rend si circonspect à les convoquer, parmi d'autres, dans notre ouvroir. Mais c'est aussi avec la conscience la plus aiguë de leur surdétermination que nous les extrayons de l'orfèvrerie syntaxique et lexicale où elles sont enchâssées. D'abord ceci :

« Narrer, enseigner, même décrire, cela va et encore qu'à chacun suffirait peut-être, pour échanger la pensée humaine, de prendre ou de mettre dans la main d'autrui en silence une pièce de monnaie, l'emploi élémentaire du discours dessert l'universel *reportage* dont, la littérature exceptée, participe tout entre les genres d'écrits contemporains [1]. »

Puis plus loin :

« Au contraire d'une fonction de numéraire facile et représentatif, comme le traite d'abord la foule, le dire, avant tout rêve et chant, retrouve chez le poète, par nécessité constitutive d'un art consacré aux fictions, sa virtualité [2]. »

Que signifie cette métaphore ? En quoi permet-elle d'éclairer l'horizon esthétique dans lequel Mallarmé situe son travail poétique, et en quoi permet-elle de situer ce travail poétique dans un régime historique de l'échange monétaire ?

Une première remarque d'abord : c'est le langage non-poétique qui est comparé à la monnaie. Mallarmé tire profit, solidement de cette métaphore (qui reprend avec lui sa densité et son énigme), pour dire la différence entre la littérature et ce qui n'est pas elle. La métaphore monétaire du langage, chez Mallarmé, est discriminative : c'est le discours qui est monnaie, et non pas la langue authentique du poème. Et il s'agit en effet dans cette *Divagation première* relative au vers, de faire le départ, rigoureusement, entre deux états de la parole. La formulation nette de cette exigence précède immédiatement le recours à la métaphore de la monnaie. « Un désir indéniable à ce temps est de séparer comme en vue d'attributions différentes le double état de la parole, brut ou immédiat ici, là essentiel. » La parole à l'état brut, ou dans son emploi élémentaire, c'est celle qui dessert « l'universel reportage », à savoir tous

---

1. *Crise de vers*, in *Œuvres complètes*, « La Pléiade », p. 368.
2. *Ibid.*

les genres d'écrits, excepté la littérature. Cette parole brute pourrait fort bien, étant donné sa fonction d'échange et de représentation, être remplacée par le silence d'une grossière transaction monétaire.

La littérature, par contre, quand elle est poésie, est une parole à l'état essentiel. Toutes les images qui fulgurent dans ce texte, concourent systématiquement à opposer la *brutalité* du discours ordinaire à l'*essentialité* du langage véritablement poétique. Or cette opposition coïncide avec une autre : celle de la *matière* et de l'*idée*.

« Symboliste, décadente, ou mystique, les Ecoles se déclarant, ou étiquetées en hâte par notre presse d'information, adoptent, comme rencontre, le point d'un Idéalisme qui (pareillement aux fugues, aux sonates) refuse les matériaux naturels et, comme brutale, une pensée directe les ordonnant ; pour ne garder de rien que la suggestion. Instituer une relation entre les images, exacte, et que s'en détache un tiers aspect fusible et clair présenté à la divination [...] Abolie, la prétention, esthétiquement une erreur, malgré qu'elle régit presque tous les chefs-d'œuvre, d'inclure au papier subtil du volume autre chose que par exemple l'horreur de la forêt, ou le tonner muet épars au feuillage : non le bois intrinsèque et dense des arbres ; quelques jets de l'intime orgueil véridiquement trompétés éveillent l'architecture du palais, le seul habitable ; hors de toute pierre, sur quoi les pages se refermeraient mal. »

L'Idéalisme, pour Mallarmé, est le point de rencontre de tous les courants poétiques pour qui « le souci musical domine ». Ces courants, encouragés par l'exemple de la musique (sonates, fugues — genres particulièrement connus pour les contraintes formelles et abstraites qui en organisent la composition) refusent « *les matériaux naturels* » et une pensée brutale et directe qui les ordonnerait. Or, c'est autour de cette opposition majeure que le léger et le lourd, l'opaque et le transparent, l'accidentel et l'essentiel, le dense et le subtil, vont pouvoir organiser leur partage, chacun enrichissant d'une suggestion supplémentaire la séparation première et fondatrice entre matérialité et idéalité.

Ainsi, dans le texte de Mallarmé, le « papier subtil » est opposé au « bois intrinsèque et dense des arbres », la « notion pure » au « proche et concret rappel ». Subtilité et pureté d'un côté. Et de l'autre, densité et proximité. A la fleur qui prétend désigner par une dénotation univoque, la narration, l'enseignement et la description, formes de la parole brute, s'oppose « idée même et suave, l'absence de tous bouquets » dans la parole essentielle. Et encore, l'architecture d'un palais évoqué par la musique seule, s'oppose au réel palais construit de pierres. D'un côté, c'est « l'évocation », « la suggestion », « l'allusion », « la réminiscence », « la transparence de l'éther », « la valeur essentielle », et de l'autre « le fait de nature », « l'objet qui existe », la fleur elle-même et la pierre elle-même, toutes les choses réelles, trop réelles que décrit l'universel reportage.

Ce qui apparaît alors est le rapport que Mallarmé établit entre le langage qui *représente,* et la monnaie. La parole à l'état brut, c'est celle du langage qui institue entre les mots et les choses un rapport univoque. Ainsi, dans la narration, dans l'enseignement, dans la description (« narrer, enseigner, même décrire ») le langage est utilisé comme un moyen de rendre compte de la réalité, d'en fournir comme un reflet et une copie — une objective représentation. C'est en quoi ce type de langage, qui permet de rapporter des *faits,* en un discours doué d'une vérité empirique, est celui qui « dessert l'universel reportage ». C'est le discours dans lequel se recueille des renseignements sur la réalité perceptible, en vue de l'information du lecteur. Tous les discours qui prétendent à la vérité, celle des faits et non pas celle des fictions, participent de cet « emploi élémentaire ». En un mot, la parole brute, selon Mallarmé, est un discours orienté vers le *référent,* la chose même, qu'il donne à imaginer, à comprendre, comme à travers le langage lui-même, au-delà de ses signifiants et de ses signifiés. La parole brute, c'est le discours *dénotatif.* Il me *désigne* le « bois intrinsèque et dense des arbres », ou bien les pierres du palais, ou la fleur du bouquet, dans un « proche et concret rappel ».

Qu'il s'agisse bien pour Mallarmé du langage qui *représente,* cela est appuyé : dans ce langage utilitaire, qui est celui de la « foule », le dire n'a selon Mallarmé qu'une fonction de numéraire facile et représentatif :

« A quoi bon la merveille de transposer un fait de nature en sa presque disparition vibratoire selon le jeu de la parole, cependant : si ce n'est pour qu'en émane, sans la gêne d'un proche ou concret rappel, la notion pure ?

Je dis : une fleur ! et hors de l'oubli où ma voix relègue aucun contour, en tant que quelque chose d'autre que les calices sus, musicalement se lève, idée même et suave, l'absente de tous bouquets.

Au contraire d'une fonction de numéraire facile et représentatif, comme le traite d'abord la foule, le dire, avant tout rêve et chant, retrouve chez le poète, par nécessité constitutive d'un art consacré aux fictions sa virtualité. »

Mais s'il faut comprendre, à n'en pas douter, que cette parole brute est censée *re-présenter* directement et immédiatement les choses elles-mêmes, comme s'articule ici la métaphore renouvelée de la monnaie, et comment se légitime la solidarité très remarquable que Mallarmé établit entre l'usage économique du *numéraire* et la *représentation* ?

Le numéraire (de *numerare,* compter) c'est la masse des espèces monnayées en circulation. Payer en numéraire, c'est

143

payer en espèces sonnantes. La monnaie dont parle Mallarmé est donc ici une monnaie métallique (or ? argent ?) dont la valeur légale est identique à la valeur intrinsèque. En quoi la parole brute, celle qui renvoie, par représentation immédiate à la chose même, peut-elle se comparer au numéraire ? En cela que cette *monnaie-marchandise* peut se substituer directement, dans l'échange commerçant, à un bien matériel, à une denrée visible et palpable. Dans cet échange, cette monnaie « représente » immédiatement une chose, dont elle a la même valeur. Pareillement la parole brute apparaît comme équi-valence ou re-présentation par rapport aux choses qu'elle désigne. Le mot « bois » renvoie au « bois intrinsèque et dense des arbres », comme le mot « fleur » dénote une fleur réelle, *présente* dans un bouquet. Ainsi va le marché linguistique, dans le cas de la parole brute. Il se fonde sur le « proche et concret rappel ». Le mot vaut pour la chose. Tout discours de narration, d'enseignement, de description, tout discours donc de reportage est engagé dans ce grossier commerce : « Narrer, enseigner, même décrire, cela va et encore qu'à chacun suffirait peut-être, pour échanger la pensée humaine, de prendre ou de mettre dans la main d'autrui en silence une pièce de monnaie, l'emploi élémentaire du discours dessert l'universel *reportage* dont, la littérature exceptée, participe tout entre les genres d'écrits contemporains. »

La parole brute est donc la parole *épicière* ou *ménagère* qui n'a de fonction qu'établir un rapport de concordance directe entre les mots et les choses, comme la monnaie vaut pour la denrée et la denrée vaut pour la monnaie. Qu'on pense ce rapport sous la forme A = M = A, argent qui devient marchandise, qui redevient argent, ou bien comme M = A = M, marchandise qui devient argent, qui devient marchandise, le rapport entre les signes linguistiques (argent) et les signes non-linguistiques (marchandises) est toujours celui d'une substitution univoque qui permet d'affirmer que tel mot *représente* telle chose, comme telle somme d'argent « représente » telle quantité de marchandise. Certes nous ne sommes pas ici dans le *troc* puisque la monnaie, équivalent général, règle légalement le marché et le mouvement des substitutions, mais nous sommes dans le commerce univoque et élémentaire où l'argent est comme une marchandise et où la marchandise vaut de l'argent. Disons alors, pour compléter l'homologie, que ce n'est pas l'image immédiate (troc) mais bien le concept clair et distinct (équivalent général) qui règle l'effet de représentation. Au lieu d'être une substitution d'images (réversibles dans leur richesse associative) c'est un échange réglé et univoque où le concept linguistique est si bien arrêté qu'il peut constituer la chose en *objet*.

Il est donc remarquable que Mallarmé, par sa métaphore monétaire du langage, établit un parallèle entre le régime économique des échanges fondé sur la monnaie réelle (monnaie denrée, ou monnaie-marchandise à valeur intrinsèque) et le régime cognitif et esthétique de la représentation *réaliste*. L'échange commerçant régit par la monnaie réelle (et non la monnaie fiduciaire ou fictive) apparaît comme ayant la même logique que le commerce linguistique fondé sur le postulat d'une représentation objective du monde, par le discours. Monnaie-or circulante et représentation réaliste appartiendrait au même régime des substitutions.

Or, il n'en serait pas de même dans la parole poétique, par opposition à ce « reportage ». Il s'agit alors de l'état essentiel de la parole, et non plus de la parole brute. Ce n'est plus l' « objet qui existe » qui est l'enjeu du marché linguistique, mais quelque Idée qui n'en retient que la virtualité. S'il est vrai que, de toute façon, « parler n'a trait à la réalité des choses que commercialement : en littérature, cela se contente d'y faire une allusion ou de distraire leur

145

qualité pour incorporer quelque idée. A cette condition s'élance le chant qu'il soit la joie d'être allégé ».

La parole essentielle sera donc elle qui vaut pour l' « idée », ou pour « la notion pure » mais non pas pour la chose, dans un grossier et matériel commerce. Allusion, suggestion, reminiscence « aspect fusible et clair présenté à la divination », ce n'est que dans la transparence que se donne, dans le poème, « l'idée même et suave ». Ce n'est pas l'objet réel, mais ce que le mot évoque à la mémoire, musicalement, qui importe dans la transaction poétique. Ce n'est pas la Matière dénotée, en une représentation objective, mais c'est l'Idée connotée, en une évocation intérieure, faisant résonner la mélodie de l'âme (puisque « toute âme est une mélodie, qu'il s'agit de renouer »). Tel est l'Idéalisme de la parole essentielle. Cette parole poétique qui s'adresse à l'âme, n'établit pas un rapport de représentation (d'échange) entre les mots et les choses, mais « emprunte » plutôt quelque « richesse », dans des « gisements » inconnus. Tel serait le principe du Vers. « *Vers enfin suprême qui n'a pas lieu en tant que moule d'aucun objet qui existe ; mais il emprunte, pour y aviver son sceau nul, tous gisements épars, ignorés et flottants, selon quelque richesse, et les forger.* »

La parole brute de l'universel reportage est engagée dans une procédure immédiate et concrète d'échange. Ce qui fait son sens c'est le *valoir pour*. Elle est le substitut signifiant d'une chose réelle, comme la monnaie est l'équivalent possible d'un bien matériel. Au contraire la parole essentielle n'a de sens qu'évocatoire. *Rappelant* à la conscience les pures richesses enfouies dans les gisements de l'âme. Elle n'est pas une articulation de concepts, donnant une prise sur le tissu du réel, mais plutôt une *productrice d'Idée* en un sens qui est peut-être proche de l'intuition platonicienne la plus originelle (réminiscence) tout en se distinguant des dérivés philosophiques où l'Idée vire au concept. Quelle est cette « notion pure », cette « idée », cette « valeur essentielle » arrachée à Mnémosyne, comme « ébauche de quelqu'un des poèmes immanents à l'humanité ? », en leur originel état ?

Mallarmé oppose deux sens : l'un est un sens-*valeur-d'échange,* qui est nomination univoque selon les exigences de l'objectivité et de la rationalité « commerçante ». L'autre est un sens-*numinosité* (rêve, chant, musique) qui évoque et suggère, appelle à la réminiscence, et se produit dans la dimension d'une idéalité qui loin de se ramener aux « idées » est plutôt *imaginaire essentiel.* Ce que le poète Mallarmé nomme l'Idée est du registre de l'*imaginal* : la fleur absente de tout bouquet, dont la parole poétique évoque la « notion pure », est aussi éloignée du concept de fleur que de la fleur réelle. Il ne s'agit pas non plus de l'Idée de fleur si on lit Platon à la lumière d'une philosophie aristotélicienne et moderne. Et pourtant c'est sans doute la vérité occultée du platonisme que Mallarmé découvre. Car n'est-ce pas Eros qui permet l'accès aux Idées, et n'est-ce pas sous le patronage d'Apollon et des Muses qu'était placée l'Académie [3] ? Mallarmé (le traducteur et l'interprète des *Dieux antiques*) retrouve la dimension *musicale* et *imaginale* de l'Archétype platonicien, vérité de plus en plus oubliée dans l'histoire de la philosophie, qui ramène bientôt l'archétype au concept (dans le formalisme logique de l'extension et de la compréhension, dès Aristote).

Lorsque Mallarmé parle d'Idéalisme, là où le « souci musical domine », il ravive un platonisme originel, presque pré-philosophique, où les poètes et les philosophes se plaçaient encore sous le même patronage, celui des Muses et

---

3. Cf. P. BOYANCÉ, *Le culte des Muses chez les philosophes grecs*, Paris, 1939.

d'Apollon. C'est lorsque les mille éléments de beauté accourent et s'ordonnent dans leur « valeur essentielle » que musicalement se lève la notion pure, « idée même et suave ». Elle ne surgit que d' « instituer une relation entre les images, exactes, et que s'en détache un tiers aspect fusible et clair présenté à la divination ».

La visée mallarméenne de l'Idée (par ailleurs celle, gidienne, de l'archétype) témoigne donc d'un platonisme *poétique* [4]. Ce n'est bien sûr pas un hasard si au moment même où triomphe le mode de pensée purement conceptuel et la représentation réaliste (l'universel reportage du positivisme) c'est seulement dans l'expérience poétique que survit quelque chose du platonisme, par un paradoxe que celui qui voulait chasser les poètes de la cité n'aurait pu prévoir. Car le rationalisme instrumental devenu dominant relègue nécessairement la dimension archétypale intuitionnée par Platon dans le domaine marginal de la poésie. Il ne serait pas difficile de lire Rimbaud et surtout de relire l'expérience d'Artaud dans ce sens. Mais avec Artaud la « poésie » se charge d'une mission métaphysique qui l'excède cette fois largement, et qui ne peut plus entrer dans les bords de la simple marginalité littéraire. C'est en cela qu'Artaud est

---

4. Le témoignage le plus clair de ce platonisme est sans doute dans cette formulation : « Artifice que la *réalité,* bon à fixer l'intellect moyen entre les mirages d'un fait ; mais elle repose par cela même sur quelque universelle entente : voyons s'il n'est pas dans l'idéal, un aspect nécessaire, évident, simple, qui serve de type. Je veux, en vue de moi seul, écrire comme elle frappa mon regard de poète, telle Anecdote, avant que la divulguent des *reporters* par la foule dressés à assigner à chaque chose son caractère commun. » (Cf. « Un spectacle ininterrompu », *Œuvres complètes,* La Pléiade, p. 276.) Mallarmé distingue donc ici entre deux universalités : l'une représentative, celle des reporters qui assignent à chaque chose son *caractère commun* et la constitue en *fait* auquel est attribué la *réalité,* et celle, *idéale,* qui renvoie à un *type* que seul le poète perçoit.

peut-être le dernier poète avant une prise en compte d'une transcendance qui ne peut plus être simplement poésie, mais qui interroge nécessairement ce qui était nommé par exemple « religion », ou « mysticisme », ou « alchimie », ou « initiation », ou ce qui est nommé « expérience de l'inconscient ».

Mais comment la dimension idéaliste et platonicienne visée par Mallarmé peut-elle s'inscrire, serait-ce par opposition, dans la logique de la métaphore monétaire du langage ? C'est qu'on ne peut comprendre la comparaison entre langage et monnaie faite par Mallarmé, qu'en distinguant entre les diverses fonctions de l'équivalent général. Tandis que la « parole brute » (ou représentative, celle de l'universel reportage) serait l'homologue de l'équivalent général *circulant* (dans lequel les deux fonctions d'échange et de réserve sont cumulées), la « parole essentielle » qui renvoie à l'Idée ou à la « notion pure », serait l'homologue d'un équivalent général *mesurant,* dans le registre idéal de l'archétype. Et de même que l'or circulant perd sa sacralité dans le commerce courant, où il fait « fonction de numéraire facile et représentatif » et n'est plus l'*or-archétype* mesurant qui était déposé au sanctuaire et réglait de très haut les échanges profanes, pareillement la parole circulante du concept et de la représentation réaliste est une parole profane et prosaïque comparée à quelque « originel état » d'une profération langagière fondée sur la réminiscence qui enchante.

C'est donc bien l'opposition sous-jacente entre une *monnaie-marchandise* et une *monnaie-archétype* qui règle la comparaison de Mallarmé. De même que dans l'économie marchande l'équivalent général n'est pas seulement mesurant (archétype) mais qu'il est circulant (jeton *et* lingot), de même dans la linguistique *marchande* du concept et de la représentation réaliste, le langage n'est plus mesure archétypale sacrée mais simple intermédiaire pour échanger la pensée humaine et permettre l'adéquation à un réel objectivé. La métaphore de Mallarmé contient donc une critique de l'économie politique des échanges dans la société moderne dominée par l'équivalent général circulant, et du mode de représentation qui lui est corrélatif. En tant que poète, Mallarmé enregistre au niveau du langage la disparition ou le refoulement structurel de la dimension mesurante par rapport à la dimension échangiste dominante, qui est aussi la dimension de la représentation [5].

Sans entrer dans le détail des déductions qui nous conduisent à cette affirmation, nous pensons que la comparaison mallarméenne est structuralement et historiquement justifiée. On pourrait montrer que lorsque les trois registres différents de l'équivalent général (mesure, échange, thésaurisation) se combinent et s'incarnent en un même et unique objet — comme c'est le cas pour la monnaie-denrée qui cumule les fonctions d'archétype, de jeton et de trésor — nous sommes en présence d'un mode d'échanger ou de symboliser, qui, sur le plan cognitif et esthétique, tend à la représentation réaliste et objectiviste du monde. Mallarmé serait donc tout à fait justifié à parler du « numéraire facile et *représentatif* » et à rapporter l'échange de la pièce de monnaie au discours objectiviste de la dénotation. Car c'est un même mode d'échanger (économique et signifiant) qui produit ce type d'échange monétaire et le principe cognitif et esthétique de la représentation réaliste.

Il est donc tout à fait remarquable que nous rencontrons

---

5. Il va de soi qu'il ne s'agit plus, quant au langage, d'une « mesure » quantitative et numérique, mais d'un site (à effet transcendantal) qui donne mesure, lieu de l'Autre, ou du code, avant tout échange, et comme règle des échanges. Nous retrouvions dans *Numismatiques* la nécessité structurelle indépassable de ce lieu de la *mesure* (qui est aussi lieu de l'*archai*) aux différents niveaux où se constituent les équivalents généraux.

la même cohérence métaphorique chez Gide et chez Mallarmé : *la monnaie métallique à valeur réelle (monnaie-denrée) métaphorise le langage réaliste et représentatif.* Mais l'essentialité cristalline (la notion pure) n'appartient pas à ce langage grossièrement commerçant qui établit une équivalence univoque entre les mots et les choses. Ce langage fait fonction d'échange dans le registre de la réalité (le mot vaut pour la chose) mais il manque à une fonction plus haute, plus réservée, plus sacrée, qui est celle de révélation des Formes pures. Quand règne ce langage-monnaie circulant, une fonction d'Idéalité (que Gide repère comme révélation des archétypes, et Mallarmé comme évocation d'une « notion pure ») fait défaut. Il faudrait pour cela qu'il ne soit plus langage dénotatif, orienté vers la chose désignée, mais plutôt langage connotatif, voué à déclencher quelque réminiscence, à suggérer des notions éternelles.

Chez Gide, c'est une coupure très voisine de celle que formule Mallarmé entre deux modes du langage, qui le conduit à la fiction d'une monnaie de cristal. Comme si les deux états de la parole, brute et essentielle, pouvaient se combiner frauduleusement dans une parole qui se donne pour brute (monnaie sonnante et trébuchante de l'épicier) mais qui cache le cristal d'une conception faite pour les amateurs. La contradiction entre la foule et le poète, l'épicier et l'amateur, est surmontée par le biais du faux-monnayage. L'antinomie mallarméenne, qui conduisait celui-ci à s'engager dans l'expérience d'une parole incompréhensible à la foule, et jalouse de sa sacralité réservée, est refusée par le stratagème d'un langage double. Le vulgaire et l'initié trouveront leur compte dans la même monnaie. Antinomie pourtant mal dépassée si c'est de la *fausseté* de cette mentale denrée qu'il faut payer l'apparente réconciliation.

Mallarmé, fermement, écarte le compromis.

Le trésor dont le poète est le gardien, n'a pas de valeur chiffrable. Il est d'un or qu'aucune mesure quantitative ne saurait apprécier. Clarté radieuse amoncelée comme celle, fantasmagorique, qui illumine les nuages dans le coucher du soleil, l'or éblouissant de la poésie ne saurait être objet d'une comptabilité par la raison arithmétique du banquier. Tel est (si on en réduit le propos à quelques-unes des notions qui se tissent dans les motifs de cette prose chamarrée et réticente) ce que Mallarmé signifie, dans le texte intitulé *Or*. Et presque chacun des morceaux réunis sous le titre général *Grands faits-divers* (d'abord dans *Divagations*) affronte l'économie politique, pour en démarquer la littérature.

L'or, celui dont parle le commerçant, le financier, le banquier, est une « très vaine divinité universelle sans extérieur ni pompes [6] ». Il n'a aucun éclat, rien de somptueux ni de glorieux. Lorsque l'instant vient d'en faire ostensiblement le décompte et l'étalage dans des circonstances théâtrales, celle d'une faillite par exemple, on serait en droit de s'attendre alors à des « somptuosités pareilles au vaisseau qui enfonce, ne se rend et fête ciel et eau de son incendie [7] ». Et pourtant, même dans la banqueroute, dans l'effondrement financier, dans le naufrage d'une grande affaire, où des milliards sont en jeu, « le numéraire, engin de terrible précision, net aux consciences, perd jusqu'à un sens [8] ». L'instant venu « qu'une banque s'abatte, du vague, du médiocre, du gris [9] ». L'écroulement catastrophique d'une société bancaire n'entraîne avec lui aucun épanchement spectaculaire de l'or.

---

6. *Grands Faits-Divers — Or —*, in *Œuvres complètes*, N. R. F., « La Pléiade », p. 398.
7. *Ibid.*, p. 398.
8. *Ibid.*, p. 398.
9. *Ibid.*, p. 398.

« Aux fantasmagoriques couchers du soleil quand croulent seuls des nuages, en l'abandon que l'homme leur fait du rêve, une liquéfaction de trésor rampe, rutile à l'horizon : j'y ai la notion de ce que peuvent être des sommes, par cent et au-delà, égales à celles dont l'énoncé, dans un réquisitoire, pendant un procès financier, laisse quant à leurs existences, froid. L'incapacité des chiffres, grandiloquents, à traduire, ici relève d'un cas : on cherche, avec cet indice que, si un nombre se majore et recule, vers l'improbable, il inscrit plus de zéros : signifiant que son total équivaut spirituellement à rien, ou presque [10]. »

Le chiffre échoue à évoquer quelque trésor que ce soit. Le milliard, réduit à une comptabilité bancaire n'est plus que « fumée », « hors le temps d'y faire main basse » acte de le *toucher* qui rassure sa réalité, autrement indifférente. La « vaine divinité » est sans éclat. Ce défaut de lumière (grisaille, fumée) doit rendre suspect la moderne religion du numéraire, qui s'adresse à un dieu toujours enfermé, séquestré. « Le manque d'éblouissement voire d'intérêt accuse qu'élire un dieu n'est pas le confiner à l'ombre des coffres en fer et des poches [11]. » L'exhibition froide et fastidieuse des chiffres à multiples zéros, se substitue à la hiérophanie. Dans la finance, le dieu n'est jamais en personne. « Voilà son manque de splendeur, l'instant venu ou quant il y aurait lieu de rayonner. Il n'est pas jusqu'à ces chèques fameux qui ne le desservent [12]. » Et pourtant la déception du poète devant l'incapacité des chiffres à traduire l'éclat du trésor n'est pas une plainte. Le

---

10. *Ibid.*, p. 398.
11. *Ibid.*, p. 398.
12. Cette allusion aux chèques n'apparaît que dans la première version de *Faits-Divers* (fév. 1893) ; cf. *ibid.*, p. 1578.

néant spirituel de l'*or des financiers* est ce qui fortifie et justifie la mission sacrée de l'écrivain. L'*or des poètes* n'est pas monnaie, ce numéraire précis qui « perd jusqu'à un sens », c'est le trésor des mots proférés, riches de l'Idée éternelle qu'ils évoquent. « Aucune plainte de ma badauderie déçue par l'effacement de l'or dans les circonstances théâtrales de paraître aveuglant, clair, cynique : à part moi songeant que, sans doute, en raison du défaut de la monnaie à briller abstraitement, le don se produit, chez l'écrivain, d'amonceler la clarté radieuse avec des mots qu'il profère comme ceux de Vérité et de Beauté [13]. »

La monnaie et le mot n'entrent donc en parallèle (comme le banquier et l'écrivain) que par le *contraste* qui les oppose. C'est du *défaut* de la monnaie que se fonde la mission du poète. C'est la perte du sens par le numéraire qui rappelle, exige, fonde, le don de produire la clarté radieuse des Idées, chez l'écrivain. Puisque l'or monnayé et chiffrable, engagé dans le comput d'une quantification insensé, n'est qu'un dieu vain sans éclat et sans gloire, il revient à l'écrivain (poète, mais aussi peut-être philosophe, au sens alchimique) d'amonceler un trésor d'un autre ordre, richesse non-quantifiable, renvoyant à la Mesure transcendante. Ce qu'évoque le mot « or », le trésor de sa signification symbolique (éclat, lumière, soleil, richesse, pureté, inaltérabilité) a plus de prix que l'or réel, numéraire sans extérieur ni solennité, d'une sacralité vaine, instrument de quantification.

Il y a donc deux *ors*. Celui du financier et celui du poète. L'opposition toutefois n'est pas si simple. Elle est advenue, peut-être. Cette division des ors naît d'une bifurcation. Celle qui sépare notre besoin en deux voies. Car « il n'existe

---

13. *Ibid.*, p. 399.

d'ouvert à la recherche mentale que deux voies, en tout où bifurque notre besoin, à savoir l'esthétique d'une part et aussi l'économie politique [14] ». L'or du beau, clarté radieuse, s'est séparé de l'or sans éclat du trafic monétaire. Le financier fait le décompte froid d'un or quantitatif dont l'économie politique théorise l'échange dans sa forme quotidienne de monnaie. Si la monnaie, par son avers, porte la marque d'une figure, parfois princière, ou d'un sceau respectable, elle trahit par son revers, sa fonction d'évaluation quantitative. « La pièce de monnaie, exhumée aux arènes, présente, face, une figure sereine et pile, le chiffre brutal universel [15]. » Mesure des valeurs économiques, instrument de circulation pour le commerce des marchandises, moyen de paiement pour les biens et les services, le métal jaune a perdu, dans le pile ou face quotidien la comptabilité et l'éclat que seul le *mot* de « trésor » évoque encore à l'imagination. L'or *signifié* est maintenant plus riche et plus éblouissant que le chiffre monétaire manipulé dans l'arithmétique des banquiers.

Cette bifurcation, à la vérité, appartient au secret destin de l'*alchimie*.

La quête immémoriale de l'or philosophale dans le laboratoire du grand œuvre, s'est convertie en objectif de l'économie politique : « C'est, de cette visée dernière, principalement, que l'alchimie fut le glorieux, hâtif et trouble précurseur [16]. » Faire de l'or, non pas avec du plomb, dans l'obscur fourneau des mélanges, des calcinations, des solutions, des coagulations, mais par la plus-value de l'industrie, du commerce et de la spéculation financière. Par l'économie de notre temps la pierre des philosophes s'est faite prosaï-

---

14. *Ibid.*, p. 399.
15. La *cour*, p. 415.
16. *Magie, ibid.*, p. 399-400.

que monnaie dans les comptes du capital. « La pierre nulle, qui rêve l'or, dite philosophale : mais elle annonce, dans la finance, le futur crédit, précédant le capital ou le réduisant à l'humilité de monnaie [17]. » De l'alchimie à l'économie politique un « prodigieux transfert de songe [18] » a donc eu lieu.

Il reste cependant la littérature. Et c'est elle sans doute, comme alchimie du verbe, qui est la fille seule légitime des secrètes manipulations abandonnées. « Quelque déférence, mieux, envers le laboratoire éteint du grand œuvre consisterait à reprendre, sans fourneau, les manipulations, poisons, refroidis autrement qu'en pierreries, pour continuer par la simple intelligence [19]. » La poésie est la véritable alchimie, sans fourneau ni cornue visibles, par des moyens intérieurs. Si l'or de la monnaie n'est pas le vrai trésor, il reste à l'écrivain, alchimiste moderne, à « amonceler la clarté radieuse avec des mots [20] » et cela par « un dosage subtil d'essences délétères ou bonnes, les sentiments [21] ». Car « je dis qu'il existe entre le vieux procédé et le sortilège que restera la poésie, une parité secrète [22] ».

Le poète, et non le financier qui poursuit l'accumulation d'un trop empirique trésor par un culte de l'or vulgaire, reconduit donc l'éternel rêve d'un or authentiquement *philosophal*. Mallarmé assigne au poète ce qui a toujours été l'objet de l'alchimie, loin des réels fourneaux et des empiriques cornues, loin aujourd'hui de l'or qui se chiffre et se monnaye dans l'échange économique.

L'or du poète est une valence de l'Idée, une métaphore

---

17. *Ibid.*, p. 400.
18. *Ibid.*, p. 400.
19. *Ibid.*, p. 399.
20. *Or, ibid.*, p. 399.
21. *Magie, ibid.*, p. 400.
22. *Ibid.*, p. 401.

originaire qui dit « éclat », « soleil », « beauté », « vérité »,
et que trahit le chiffre monétaire.

D'où le divorce aussi, entre l'existence littéraire « qui se
passe à réveiller la présence, au-dedans, des accords et significations [23] » et le commerce. Ce divorce entre le *mot* et le
*numéraire* (renvoyant à deux ordres inconciliables) Mallarmé y consent comme le « sacrifice » [24] qui fonde la
royauté anonyme de celui qui écrit. Le poète est un héré-
tique, destiné à subir un supplice, une « épreuve » [25] pouvant aller jusqu'à la mort. Il refuse de devenir sujet de « la
très vaine divinité universelle » par laquelle s'est imposée,
chez tous, concrètement, l'idée d'un pouvoir impersonnel
suprême. « L'or frappe, maintenant, d'aplomb la race ; ou,
comme si son lever ancien avait refoulé le doute, chez les
hommes, d'un pouvoir impersonnel suprême, plutôt leur
aveugle moyenne, il décrit sa trajectoire vers l'omnipotence
— éclat, l'unique, attardé pour un midi imperturbable.
— Ajoutez — il paie comptant, loyalement, qui, en raison
de la brutale clarté vaincu aussitôt, se déclare sujet [26]. »

Partout l'or règne, tandis qu'isolé, « *talent à part* » [27] au
péril de sa vie le poète refuse de faire allégeance à ce faux
dieu unique et omnipotent. On veut l'obliger à confondre
deux ordres incompatibles et irréconciliables de valeurs, on
veut « *le forcer de reconnaître la pensée, essence, par le*

---

23. *Solitude, ibid.,* p. 405.
24. *Confrontation, ibid.,* p. 410.
25. *Ibid.,* p. 410.
26. *Ibid.,* p. 410.
27. *Ibid.,* p. 411. *Le talent,* on le sait (gr. *talanton,* lat. *talentum*)
est au sens propre une monnaie grecque représentant la valeur d'une
somme d'or ou d'argent pesant un talent. D'où au figuré l'aptitude
(la valeur) d'une personne pour faire une chose — ou cette personne
elle-même. Mallarmé réactive donc ici la *figure monétaire* du talent
littéraire, en signifiant que le poète est une valeur, une monnaie, ou
un or, à part.

*résidu, monnaie* » [28] mais le poète choisit l'essence et la quintessence au risque de la mort par inanition. (Si l'échange économique paraît poser entre les objets mis en équivalence une « essence identique » (Marx), qui est la valeur marchande, cette « essence » n'est pas Idée, mais résidu, *caput mortuum,* déjection homogène, abstraction indifférenciée d'une digestion universelle ramenant toute valeur à l'excrément économique.) Le poète se fait martyr de la cause éternelle de l'or philosophal, contre le pouvoir établi de l'or vulgaire. Jamais il ne consentira au commerce, à l'échange, disons au salariat par lequel la plage écrite deviendrait l'équivalent d'une somme de monnaie qui en évaluerait quantitativement le prix. « Nulle vente ni qu'homme trafique avec l'âme ou sinon il ne comprend pas [29]. »

Et c'est en quoi le « camarade » [30] travailleur, le manœuvre qui besogne à creuser la terre dès le matin, ne doit pas envier son sort. Si le « littérateur pur » [31] échappe au « pacte » [32] salarial par lequel s'établit une équivalence entre la « force fournie » [33] et un paiement, c'est au prix d'une exclusion impitoyable, d'un rejet périlleux. Le poète est le résistant, l'opposant solitaire et sacrificiel à l'omnipotence de l'argent, à la prétention universelle du numéraire à réduire toutes valeurs à la valeur marchande. L'attitude exceptionnelle commise au poète, son emploi, est d'être le résistant du numéraire ou de l'économie-politisation de la vérité.

---

28. *Ibid.,* p. 410.
29. *Ibid.,* p. 412.
30. *Ibid.,* p. 409.
31. *Ibid.,* p. 412.
32. *Ibid.,* p. 409.
33. *Ibid.,* p. 409.

# 3. La raison de la monnaie

Dans *L'homme sans qualités* de Musil, un des personnages principaux du roman, Arnheim, le grand homme d'affaire qui est aussi un penseur, développe une série d'arguments sur « l'esprit de l'argent » que nous devons verser incontestablement à notre parcours concernant la logique de l'équivalent général — orienté ici par notre intérêt pour les textes littéraires où cette logique s'expose.

Arnheim éprouve (ou constate) *l'économic-politisation* de l'existence : « On pourrait aujourd'hui, exprimer toutes les relations intellectuelles, de l'amour à la logique pure, dans le langage de l'offre et de la demande, de l'escompte et de la provision, au moins aussi bien qu'on le fait en termes psychologiques ou religieux[1]. » Le langage froid et précis de l'économie apparaît comme la formulation la plus adéquate de la vérité.

---

1. Musil, *L'homme sans qualités*, ii, Folio, 1973, p. 180.

Or Musil va très loin dans l'esquisse de cette fiction pour laquelle *tout* peut se dire et s'analyser en termes issus de l'économie politique. Ainsi, pour Arnheim, il semble acquis que l'objet de la foi de l'homme moderne n'est plus Dieu, mais « le directeur de la firme Univers » [2]. Et une analyse nouvelle de la foi elle-même montrerait que « les credos humains ne sont probablement que des cas particuliers du crédit » [3]. Certes, continue Arnheim, la croyance est essentielle à la vie ; une croyance est toujours nécessaire, mais « quand cette croyance est épuisée, pour laquelle il n'y a ni justificatifs ni couverture, la banqueroute ne tarde pas ; les âges et les empires s'écroulent comme les affaires quand leur crédit est épuisé » [4].

Mais ce n'est pas seulement Dieu et la foi, ces sublimes idées, qui peuvent (et sans doute, pour Arnheim, doivent) se dire dans le langage rigoureux et abstrait de l'économie politique. D'autres réalités plus profanes et prosaïques relèvent de la même interprétation conceptuelle. Les vêtements, ainsi, cela est bien connu, *prêtent* à leur possesseur des qualités qu'ils n'ont pas nécessairement. Ainsi peut-on dire que « ces objets ressemblent à des débiteurs qui nous rendraient la valeur que nous leur prêtons assortie d'intérêts fantastiques ; et à la vérité, il n'existe pas d'objets qui ne soient ainsi débiteurs. Cette qualité propre aux vêtements ne l'est pas moins aux convictions, aux préjugés, théories, espérances, croyances, et pensées » [5]. Ainsi la notion économique de valeur prêtée et rendue avec intérêt, constitue-t-elle une notion de base qui permet de penser l'*objet* en général, et même toute *idéologie*. Les idées sont le lieu d'une plus-value

---

2. *Ibidem,* p. 293.
3. *Ibidem,* p. 326.
4. *Ibidem,* p. 326.
5. *Ibidem,* p. 324.

fondée sur un principe général d'usure. Nous leur prêtons une certaine valeur, mais ce que nous recevons d'elles est supérieur à cette valeur ; elles nous rendent toujours avec intérêts, des intérêts fantastiques.

Mais il ne s'agit là, encore, que d'exemples. Remontons plutôt aux principes généraux. Arnheim, le chef d'entreprise, « l'homme qui savait que l'on devrait tôt ou tard gouverner les empires comme des usines » [6] considérait que l'éthique comme la science obéissaient à un principe de *rationalité* dont la logique de l'argent est la base, et même, probablement la cause. Entre l'argent et le rationalisme, qu'il s'agisse du rationalisme de la conduite, dans la morale, ou du rationalisme de la pensée, dans la science, il existe une parenté — parenté qui fait de l'argent, par son esprit même, quelque chose de moral et de vrai.

Considérons d'abord l'éthique, dans la méditation d'Arnheim :

« La richesse morale est proche parente de la richesse financière ; il le savait, et il est facile de comprendre pourquoi il en est ainsi. La morale, en effet, remplace l'âme par la logique : quand une âme a de la morale, il n'y a plus pour elle aucun problème moral mais seulement des problèmes logiques ; elle se demande simplement si ce qu'elle veut faire tombe sous le coup de tel ou tel commandement, si son intention doit être interprétée de telle ou telle manière, et ainsi de suite ; c'est alors comme quand une troupe de soldats, surgissant dans le plus grand désordre, se voit tout à coup disciplinée par un moniteur de gymnastique et sur un simple signe s'exerce à la station avancée, à l'extension des bras et à la flexion des jambes. Mais la logique pré-

---

6. *Ibidem*, p. 296.

suppose des événements réitérables. Il est clair que si les événements changeaient comme dans un tourbillon où rien ne se répète, nous n'aurions jamais pu aboutir à cette profonde découverte que A est A, que ce qui est plus grand n'est pas en même temps plus petit : simplement, nous rêverions ; situation détestable pour le penseur. On peut dire la même chose de la morale, et s'il n'y avait rien qui se pût répéter, on ne pourrait rien nous prescrire ; si l'on ne pouvait rien nous prescrire, la morale n'aurait plus aucun agrément. Mais cette qualité d'être réitérable, propre à la morale et à la raison, est bien moins séparable encore de l'argent ; elle se confond presque avec lui ; tant qu'il ne se dévalue pas, l'argent divise tous les plaisirs du monde en petits blocs de pouvoir d'achat à partir desquels on peut se construire tous les édifices que l'on veut. C'est pourquoi l'argent est moral et raisonnable : comme chacun sait que l'inverse n'est pas forcément vrai, c'est-à-dire que les hommes moraux et raisonnables n'ont pas tous de l'argent, on peut conclure que ces qualités résident à l'origine dans l'argent, ou tout au moins que l'argent est le couronnement d'une existence raisonnable et morale [7]. »

Le principe d'identité nous assure qu'il existe des *invariants*. Il nous permet de découvrir le *même* dans l'autre. Il nous permet de penser la répétition du même dans la différence. Ce principe de la raison est aussi celui de la morale et celui de l'argent. La valeur est cet invariant qui subsiste dans la différence, et qui de plus, est divisable et quantifiable. Il est donc trop peu dire que l'argent est rationnel et moral ; il est l'origine même de la raison et de l'éthique.

---

7. *Ibidem,* pp. 295, 296.

Mais ce qui vient d'être démontré de la morale peut l'être, plus aisément encore, de la science :

« Car toute pesée, tout calcul, toute mesure présupposent que l'objet à mesurer ne se modifie pas durant la réflexion ; quand la chose néanmoins se produit, il faut mettre toute son acuité d'esprit à trouver jusque dans le changement quelque chose d'inaltérable. Ainsi l'argent, par sa nature, est apparenté à toutes les forces spirituelles, et c'est sur son modèle que les savants divisent le monde en atomes, lois, hypothèses et signes bizarres ; et, à partir de ces fictions, les techniciens recréent un monde d'objets nouveaux. Pour ce propriétaire d'énormes industries si parfaitement renseigné sur les forces mises à son service, ces remarques étaient aussi familières qu'à un Allemand moyen lecteur de romans les représentations morales de la Bible. [8] »

Ainsi entre la valeur monétaire et le concept scientifique il existe une solidarité structurale. La logique de l'argent c'est la logique tout court, l'opération sur des *invariants*. La substitution de deux entités « identiques » l'une à l'autre atteste de cette invariance qui, à son tour, permet la répétition. C'est la *métaphysique du même* qui gouverne l'économie politique et la pensée scientifique. Et comme la convention humaine nommée « argent » permet des bénéfices et des profits, les fictions conceptuelles des savants permettent aux techniciens de produire des nouveaux objets. La science et la technique obéissent à la rationalité monétaire ou inversement la rationalité monétaire assure le règne de la science et de la technique. « L'argent change tout en concept [9]. » Ce règne de la mesure, au sens éthique et

---

8. *Ibidem,* p. 296.
9. *Ibidem,* p. 349.

scientifique, c'est le capitalisme, dit Arnheim, qui le réalise le mieux. Car si la violence est nécessaire dans toute société, c'est dans le capitalisme qu'elle est la mieux intériorisée, et la mieux travestie en liberté. Aussi Arnheim s'adressant à Dieu dans une longue méditation, Lui dit :

« Mais, l'argent n'est-il pas un moyen de traiter les relations humaines aussi sûr que la violence, et ne nous permet-il pas de renoncer au trop naïf usage de celle-ci ? Il est de la violence spiritualisée ; une forme particulière, souple, raffinée, créatrice, de la violence. Les affaires ne se fondent-elles pas sur la duperie et l'exploitation, la ruse et la contrainte, mais civilisées, transférées entièrement à l'intérieur de l'homme, travesties en liberté ? Le capitalisme, en tant qu'organisation de l'égoïsme selon la hiérarchie des capacités de s'enrichir est l'ordre le plus parfait et cependant le plus humain que nous ayons pu constituer à Ta gloire ; l'activité humaine ne comporte pas de mesure plus précise [10] ! »

Dans ce discours, l'argent n'est plus seulement la mesure universelle de la valeur des marchandises, mais aussi la commune mesure qui permet de régler l'ensemble des relations humaines, et qui constitue l'étalon idéal de toutes les activités. Le règne de l'argent c'est le règne de la mesure *unique* à partir de laquelle toutes les choses et toutes les activités humaines peuvent être évaluées. Et c'est par une infaillible nécessité que ce discours interrogatif et exclamatif s'adresse à Dieu — au dieu unique. Dans le même mouvement s'homologue l'uniformité numérique de la mesure monétaire, l'uniformité de la mesure scientifique qui permet

---

10. *Ibidem*, p. 297.

la mise du monde en calcul, et l'unicité divine. Une certaine configuration monothéiste de la forme valeur « équivalent général » apparaît clairement ici. La rationalité monétaire, fondée sur l'étalon unique de mesure des valeurs, fait système avec une certaine monovalence théologique [11]. Certes, si Arnheim comprend qu'il est impossible de renoncer au rationalisme de l'existence, une autre voix (celle, *féminine,* de Diotime) lui en fait entendre les limites. « Il en allait d'Arnheim comme de sa propre époque. Celle-ci adore l'argent, l'ordre, le savoir, le calcul, les mesures et les pesées, c'est-à-dire, somme toute, l'esprit de l'argent et de sa famille, en même temps qu'elle les déplore [12]. » Diotime représente l'autre aspect, « le mystère du sentiment », l'âme. Et pourtant la scission reste insurmontable : c'est dans le langage de l'économie politique que se formule le dernier mot . « Un homme conscient de ses responsabilités, se dit-il avec conviction, même lorsqu'il donne son âme, ne doit jamais sacrifier que les intérêts, en aucun cas le capital... [13] »

Ainsi le personnage de Musil élève l'argent (ou plus précisément la *monnaie,* comme structure) en une catégorie universelle de l'être social total qui exprime l'essence même du monde moderne, où règne la valeur marchande et la rationalité instrumentale. Il décrit en cela un monde régit dans son *ethos* et son *epistémé* par le principe de l'*équivalence universelle.* Il est remarquable que l'esquisse de Musil rejoint les analyses de Luckas sur les rapports entre la forme marchande de la valeur d'échange, la rationalisation de la

---

11. Nous soulignions cette solidarité structurale et génétique entre monnaie et monothéisme dans *Numismatiques* (cf. *Economie et symbolique,* p. 89 et 91).
12. *Ibidem,* p. 298.
13. *Ibidem,* p. 302.

production, et le rationalisme formaliste et calculant de la pensée bourgeoise et de la science moderne. On pourrait dire aisément, en terme luckasien qu'Arnheim fait l'éloge des pouvoirs formidables de la réification (qui permet d'abstraire, d'objectiver, de quantifier, et de soumettre toute la vie humaine au calcul). La réification, la production d'invariants indépendants des contenus, des qualités, des différences, la constitution d'un monde d'objets stables entre lesquels peuvent s'établir des relations abstraites, est rapporté globalement au phénomène de l'argent et elle est louée comme la condition préalable d'un pouvoir économique et politique centralisé qui gouverne la société toute entière comme une vaste usine. L'organisation purement technicienne de la technique est la conséquence ultime de l'abstraction échangiste qui se donne à voir dans l'argent. Dès lors tout pouvoir (sur les choses ou sur les hommes) est pensé sur le modèle *commercialo-scientifique.*

Humoristiquement la notion même de Dieu, « le directeur de la firme Univers », est atteinte par la pensée réifiée. Dieu ne peut être pensé autrement que comme l'entrepreneur suprême, dans une logique qui est celle du capitalisme d'organisation : « Arnheim aurait conseillé au Seigneur d'organiser le Règne millénaire sur des principes commerciaux et d'en confier l'administration à un grand homme d'affaires, à condition, bien entendu, qu'il disposât d'une vaste culture philosophique [14]. » Il est notable que cette formulation fantastique qui associe curieusement Dieu et Capital (et même aussi le Logos philosophique) n'est pas sans entrer très logiquement dans le tableau des solidarités structurales que nous dressions dans *Numismatiques* [15] où,

---

14. *Ibidem*, p. 297.
15. Cf. le tableau de la page 100 dans *Economie et symbolique.* Ces congruences d'ensemble apportent aussi une base théorique possible au rapprochement qui a été fait entre *Les Faux-Monnayeurs* de

en une théorie généralisée de la forme des valeurs, Dieu, Etat, Logos, Capital, se trouvaient ordonnés dans la même série d'homologues structuraux. C'est une certaine forme du pouvoir, fondée sur la régie de toutes les relations par des équivalents généraux réifiés, qui est conçu par le personnage de Musil, suivant une cohérence que les articulations théoriques exposées dans *Numismatiques,* sur la base de la genèse de la forme monnaie, permettent de penser.

Mais si le discours de Arnheim sur « l'esprit de l'argent », comme principe suprême de la rationalité calculante, et comme forme de l'objectivité dans un monde soumis en même temps au pouvoir de la technique et aux lois de l'échange marchand, rejoint les analyses de Luckas sur le phénomène de la réification (et aussi nos analyses de *Numismatiques* qui exposent une théorie plus généralisée encore des *niveaux* multiples où cette même structure se déploie) c'est aussi un certain versant de la pensée de Heidegger que cette problématique de l'objet calculable recruise.

---

Gide et certaines œuvres de Melville où le discours financier et le discours éthique et philosophique se métaphorisent souvent l'un par l'autre. FEIDELSON, *Symbolism and American Literature,* Chicago, 1953, et (à paraître) D. SEWELL, *Confidence and Counterfeit* (1981). Ajoutons qu'une curieuse métaphysique de l'économie politique, celle de Rudolf Steiner, pourrait être interprétée aussi, à partir de ces congruences. Tâchant à penser le procès économique par les notions de Nature, de Travail et d'Esprit, Steiner écrit : « La Monnaie est une chose absolument indifférente aux facteurs singuliers de la vie économique, en tant qu'ils sont encore influencés par la Nature. Pour cette raison même la Monnaie devient le moyen d'expression, l'instrument, le medium par lequel l'Esprit entre dans l'organisme économique de la division du Travail. » Ainsi, « la Monnaie est l'Esprit au travail dans la vie économique ». La Monnaie, ou encore sous une autre forme le Capital, sont « l'Esprit réalisé ». D'où l'identité entre Esprit et Capital. « Je pourrais aussi bien écrire "Esprit" au lieu de "Capital" » formule R. Steiner. (Conférence de 1922, tard. angl. *World Economy,* London, 1972, pp. 53, 92 et 73.)

Cette rencontre n'est d'ailleurs pas aussi étrange qu'elle peut paraître à première vue, si l'on reconnaît la parenté sur des points importants (comme la critique du rationalisme instrumentale) entre Luckas et Heidegger [16]. L'un des textes les plus éclairants à cet égard est peut-être l'analyse par le philosophe de l'Etre des *Elégies* de Rilke. L'homme du vouloir, dit Heidegger, « compte partout avec les choses et avec les hommes comme avec l'objectif. L'ainsi compté devient marchandises » [17]. Il tient sa balance constamment évaluante dans l'objectivation du monde. C'est ainsi qu'il « risque », dans le domaine de la volonté calculante. « Risqué de la sorte dans l'être sans abri, l'homme se meut dans l'ambiance des affaires et des " changes ". L'homme s'imposant vite des enjeux de son vouloir. Il vit essentiellement en un risque de son essence, risqué de l'intérieur de la vibration de l'argent et du valoir des valeurs. En tant que perpétuel changeur et médiateur, l'homme est "le marchand". Il pèse et évalue constamment, et pourtant il ne connaît pas le poids propre des choses. Il ne sait pas non plus ce qui, en lui, a vraiment du poids, et par conséquent prédomine [18]. »

L'évaluation du marchand, qui ne pose l'étant que comme valeur, et la valeur que comme quantité numérique, est une pesée qui ignore le poids véritable, le poids intérieur. Cette objectivité « non seulement pose tout étant comme susceptible d'être produit dans le processus de production, mais encore elle délivre les produits de la production par l'intermédiaire du marché (*Markt*). L'humanité de l'homme et la

---

16. L. GOLDMANN, *Luckas et Heidegger,* Denoël, 1973 ; il repère quelques problématiques voisines dues, certaines, à des maîtres communs.

17. HEIDEGGER, *Chemins qui ne mènent nulle part,* Idées/Gallimard, 1980, p. 377.

18. *Ibid.,* p. 377.

chosésité des choses se diluent, à l'intérieur du propos délibéré d'une production, dans la valeur mercuriale d'un marché qui non seulement embrasse, comme marché mondial, la terre entière, mais qui, en étant volonté de volonté, tient marché dans l'essence même de l'être et fait ainsi venir tout étant au tribunal d'un calcul général dont le règne est plus tenace là même où les nombres ne paraissent pas en propre »[19].

Ce règne des choses sans teneur, ce monde de l'objectivation, est celui de la domination technique de la terre. On pourrait dire que Heidegger, comme Luckas (ou comme le personnage du roman de Musil) exprime à sa façon la solidarité historique entre le règne achevé de la forme de valeur « équivalent général », et la domination par la rationalité instrumentale.

Or, pour Heidegger (lisant Rilke), l'évaluation du marchand qui fait de tout étant un objet et de tout objet une marchandise, s'oppose à une autre balance, à une autre mesure — *la mesure de l'Ange*. L'habituel dans le monde présent, c'est « le marché sans abri des changeurs »[20]. L'inhabituel c'est la mesure de l'Ange. Mais « qui fait passer la balance du marchand à l'Ange »[21] ? Dans le temps de détresse c'est d'abord le poète, qui tel Orphée (pleurant sur la perte d'Eurydice) se maintient dans l'ouvert...

« Lorsque des mains du marchand
la balance passe
à l'Ange qui dans les cieux
la calme et l'apaise par l'équilibre de l'espace... [22] »

---

19. *Ibidem*, p. 352.
20. *Ibidem*, p. 378.
21. *Ibidem*, p. 378.
22. *Ibidem*, p. 378.

Cette *mesure de l'Ange,* qui se tient au-delà de la mesure quantitative et réifiante du marchand, n'est pas sans évoquer, à son tour, la problématique gidienne. La monnaie d'or (celle de la pensée épicière et du langage réaliste) s'oppose à la monnaie de cristal, dissimulée au prosaïque marchand. Ce rapprochement entre les *deux* mesures s'impose avec force si, remontant en deçà des *Faux-Monnayeurs,* nous écoutons le Gide du *Traité du Narcisse* qui est une théorie du symbole où se dit la mission du poète. Le poète évoque, par le pur cristal de l'œuvre d'art, une réalité transcendante qui révèle « l'archétype des choses ». « L'œuvre d'art est un cristal — Paradis partiel où l'Idée refleurit en sa pureté supérieure. » Découvrir l'archétype des choses et le dire dans le cristal de la poésie, c'est donc accéder à la mesure de l'Ange. *Les Faux-Monnayeurs* apparaissent ainsi comme un compromis entre deux langages et deux mesures. Pris encore dans le trafic de la pensée objectivante (ce qui est la part « réaliste » du roman) et nostalgique d'un paradis cristallin où non plus le marchand, mais l'Ange, serait la seule mesure du sens.

Que la poésie soit à penser comme *mesure,* c'est ce que Heidegger ailleurs a formulé d'une manière explicite. « Etre poète, c'est mesurer [23]. » Ou encore : « La poésie est par excellence une mesure [24]. » Il est clair que cette mesure n'est ni celle de l'opinion quotidienne qui prétend s'affirmer comme « la mesure-étalon de toute pensée et de toute réflexion » [25], ni celle de la représentation scientifique, qui est quantitative, qui se sert d'instruments et de nombres. Le poète prend mesure en disant les aspects du Ciel qui sont des images où s'imaginent l'invisible, la divinité inconnue.

23. *Essais et conférences,* Gallimard 1958, p. 235.
24. *Ibid.,* p. 235.
25. *Ibid.,* p. 237.

Dans le registre non plus des valeurs quantitatives mais du sens, on trouve ainsi un site transcendant, mesure antérieure à toutes significations négociables, échangeables, communicables, et qui rend possible la communication. Que l'on nomme ce site celui de la Mesure, ou celui de l'Autre, ou celui des Archétypes, il s'agit de la même fonction, à partir de laquelle l'évaluation ou la signification devient possible. Nous dirons plus loin, encore une fois, ce qu'il advient de ce site lorsque c'est la logique du *jeton* qui domine l'économie des valeurs.

# 4. La loi et le trésor

L'analyse de Luckas, comme la fiction de Musil, tout en éclairant la structure ontologique de l'argent (son lien avec la métaphysique du même et la domination de la rationalité instrumentale) manquent d'une des ressources qui peut s'offrir à une recherche sur le principe de l'équivalent général : la distinction et le rapport réciproque des trois fonctions. C'est pourtant la tresse compliquée entre l'*archétype*, le *jeton* et le *trésor* qui peut nous permettre d'aller plus loin dans l'analyse du mode de signifier contemporain. Car ce n'est plus indistinctement l'équivalent général (visible, incarné) qui règne dans le régime des échanges (à tous les niveaux que nous avions distribués dans *Numismatiques*) mais c'est un de ses modes fondé sur l'*inconvertibilité*. Ce régime de la non-couverture (qui touche la question de la représentation) nous oblige à penser la dissociation de plus en plus complète des trois fonctions (leur dé-tressage et dérive autonome) dans le mode de symboliser contemporain.

Le point vif concerne l'*inconvertibilité* dans le système

des échanges monétaires, et l'homologie entre cette inconvertibilité et un certain régime du signifiant. Il apparaît en effet que toute les questions contemporaines concernant la nature du signe sont surdéterminées par une situation socio-symbolique dans laquelle prédomine la logique du « jeton » comme élément opératoire, avec comme contrepartie l'occultation complète de deux autres fonctions de l'équivalent général, mesure des valeurs dans le registre de l'idéalité, et moyen de « thésaurisation » dans le registre du réel. C'est pourquoi dans la philosophie comme dans la psychanalyse, l'insistance est partout sur l'*autonomie du signifiant*. Notre mise à jour de cette correspondance entre la structure contemporaine de l'échange monétaire et les théories du signifiant nous conduirait donc à relativiser la portée théorique et métaphysique de telles conceptions du signe, pour en donniner la signification historique déterminée. Si les théories de la prééminence du signifiant et de son autonomie opératoire s'imposent aux contemporains pour leur effet de vérité, il faut interroger cet effet de vérité dans une herméneutique critique.

C'est la question de la *représentation* qui est en jeu dans le passage d'un équivalent général *incarné* à un équivalent général purement *nominal*. Il suffit pour s'en convaincre de suivre, par exemple, le discours de l'économiste qui nous a paru le plus apte à éclairer les manigances de nos faux-monnayeurs du langage. Quand Charles Gide, au chapitre V de ses *Principes d'économie politique* paru l'année de la mort de Marx, aborde la question du papier monnaie, il le fait avec un luxe de précaution rhétorique et théorique qui est bien significatif d'une époque où le papier monnaie ne régnait pas encore en maître, mais où les pièces d'or et d'argent passaient de main en main, dans le commerce quotidien. Si nous ne savions pas déjà, dit Charles Gide en

1883, que le papier monnaie peut être remplacé par la monnaie métallique, nous pourrions avoir quelques difficultés à croire cela possible et le titre de ce chapitre (« Que la monnaie métallique peut être remplacée par du papier monnaie ») pourrait exciter notre étonnement. Car, poursuit Ch. Gide, il est évidemment impossible de remplacer le blé ou le charbon ou quelqu'autre richesse que ce soit « *par de simples morceaux de papier, sur lequel sont écrits les mots "tant de boisseaux de blé", ou "tant de tonnes de houille". Avec de tels morceaux de papier nous ne pouvons ni nous nourrir, ni nous chauffer* [1]. » L'écriture ne remplace pas la chose. Le mot chien ne mort pas. Le signifiant et le référent ne sont pas identiques. Le mot « blé » ne nourrit pas plus que le mot « charbon » ne fait marcher les locomotives. Il faut être gré à Charles Gide d'avoir osé partir d'un problème ontologique et logique (sémantique) à la fois aussi évident et aussi fondamental pour exposer la question économique du papier monnaie. Car il n'a pas manqué d'en ramener la question, presque inévitablement à celle des rapports entre le mot et la chose, le signifiant et le référent, c'est-à-dire à une question de langage. Il nous dispense ainsi d'avoir à faire la démonstration qu'il y a plus qu'un parallèle entre les structures de l'échange économique et celle de l'échange linguistique, mais en certains points radicaux un véritable recroisement. Que le mot n'est pas la chose, et qu'il y a même, entre le mot et la chose, une distance peut-être infranchissable, c'est bien ce que la circulation du papier monnaie rappelle sans cesse.

Tant que le moyen d'échange est une vraie monnaie, l'équivalence entre monnaie et marchandise (la représentation de l'une par l'autre) ne fait pas problème. Ce qui

---

1. *Principes d'économie politique,* chap. v.

circule comme équivalent général semble pouvoir, par nature, valoir pour tel ou tel objet, qu'il s'agisse de tissus, de blé, ou de charbon. C'est pourquoi Ch. Gide ne s'étonne pas que l'or puisse valoir pour du blé, ou du charbon. Et surtout, il ne fait pas remarquer dans ce cas, ironiquement, que l'or ne nourrit pas ou ne chauffe pas. Par contre, lorsqu'il s'agit du papier monnaie l'équivalence avec la marchandise fait problème, et Gide fait valoir qu'un mot écrit ne peut pas remplacer la chose — que le mot « pain » ne nourrit pas. Si l'on cherche le parallèle entre ces deux situations économiques et l'ontologie du langage, on voit que dans un cas le langage sera censé représenter (ou exprimer) pleinement la chose (où l'âme) et que dans l'autre cas l'écart entre le langage et la chose apparaît infranchissable.

Que la circulation du papier monnaie puisse ainsi ouvrir sur l'inquiétude nominaliste (un mot qui vaut pour rien) c'est bien ce que Charles Gide, entre les lignes, mais d'entrée de jeu, signifie. Que la question de la valeur et du pouvoir de l'écriture soit en quelque façon posée immédiatement, dès le début d'une analyse du papier monnaie, c'est là un préalable qui inversement jette une lumière sur le recours par André Gide, le neveu écrivain, à des métaphores économiques, lorsqu'il s'agira pour lui de penser la « valeur » de l'écriture.

Ainsi on ne peut s'empêcher de soupçonner qu'entre une certaine réflexion sur le statut de l'écriture dans son rapport au sens et aux choses, et la domination économique récente de la *monnaie d'écriture* sur tout autre mode de l'équivalent général, il n'est pas impossible de découvrir une relation. Et nous verrons que la distinction faite par Charles Gide entre trois sortes de papiers monnaies, en fonction de leur valeur de *représentation* apporte à cette suspicion des raisons supplémentaires.

Reposons la question de Ch. Gide et suivons le fil de sa

réponse. Comment la monnaie métallique peut-elle être remplacée par le papier monnaie ? Si, explique l'oncle du romancier, nous utilisions réellement les pièces d'or pour leur substance matérielle, par exemple pour les pendre à notre cou, *comme une orientale* porte des sequins d'or ou d'argent, notre morceau de papier, au lieu d'une pièce en or, nous serait de peu d'usage. En d'autres termes, si c'était la *matière-or* qui d'abord nous intéressait dans la monnaie, elle serait irremplaçable. Rien ne pourrait s'y substituer. A aucun moment ne pourrait commencer le procès de délégation qui conduit à la circulation du papier monnaie. Mais, dit Ch. Gide, la monnaie n'est pas utilisée comme une autre richesse ; il n'y a pas d'élément matériel dans son utilité. Une pièce de monnaie, en somme, n'est rien d'autre qu'un *ordre* par lequel nous pouvons prétendre, par le moyen de l'échange, à une certaine portion de richesse existante. Ce rôle peut être joué par un morceau de papier aussi bien que par un fragment de métal.

Ainsi, à suivre fidèlement cette analyse, est-ce la réduction de la monnaie à sa fonction exclusive d'échange qui permet de la remplacer par n'importe quoi. Loin de ressembler à une *femme orientale* qui apprécie directement les métaux précieux pour leur valeur d'usage (comme belle parure) nous sommes plutôt des *hommes occidentaux* qui différons toute jouissance sensorielle, acceptons le détour d'échange, l'abstraction de l' « élément matériel », jusqu'à ne considérer toute monnaie que dans sa fonction métabolique : *ordre* pour obtenir une richesse future, par la transaction sur le marché. Ainsi le mouvement même du passage de la monnaie métallique au papier monnaie, redouble l'abstraction échangiste qui était déjà impliquée par la formation d'un équivalent général monétaire. C'est une opération de détour et de « différance » supplémentaire, qui nous fait passer de la chose à sa seule représentation. Car si de la marchandise simple à la formation de la monnaie métallique, intervient déjà une dialectique complexe du détour, de l'abstraction et du différer, nécessaire à la constitution de tout équivalent général circulant[2], le passage ultérieur de la monnaie-trésor à la monnaie-jeton implique encore un nouveau pas dans l'abstraction. Un nouveau pas dans la *re-présentation,* par opposition à la présentation sensible immédiate.

Et c'est bien, avec une nécessité lexicale sans défaut à la « représentation », que Ch. Gide rapporte l'opération du papier monnaie. Ou, plus précisément, il fait en ce point une distinction qui est pour notre type d'analyse d'une grande portée, entre trois formes différentes de papier monnaie : 1) la forme *représentative* ; 2) la forme *fiduciaire* ; 3) la forme *conventionnelle.* Le parallèle étroit entre ces formes économiques, et ce qui est en jeu dans le langage, ou plus généralement dans la signification, apparaîtra immédiatement. Car c'est le degré de *convertibilité* du signe arbitraire en un *réel* qui soit doué d'une valeur intrinsèque, qui définit les différentes modalités de l'instrument d'échange.

1) Premièrement, dans la forme *représentative* le papier monnaie représente simplement, écrit Ch. Gide, une certaine quantité de pièce métallique, qui est déposé quelque part, à savoir dans le coffre d'une banque, et qui sert de garantie. Ainsi, comme le peuple américain n'est pas enamouré de dollars en argent, le gouvernement de ce pays garde ces dollars dans ses coffres et les remplace, dans la circulation, par des certificats qui sont plus faciles à manier, étant en papier. Cette première forme de papier monnaie écrit l'économiste n'offre aucune difficulté.

---

2. Cf. *Numismatiques* in *Economie et symbolique.*

Aucune difficulté en effet, puisqu'ici, dans cette forme *représentative,* le signe de valeur est couvert directement par une encaisse. A tout moment, le signe arbitraire peut être remis en relation d'équivalence directe avec la chose dont il est signe. Il y a bien substitution, mais ce remplacement reste dans les limites étroitement légales d'une représentation. La pièce d'or ne circule plus en personne, mais elle n'est pas loin, toujours disponible, toujours capable de devenir présente. Nous voyons clairement ici que la notion de *représentation* offre un rapport étroit avec celle de *convertibilité.* Tant qu'une encaisse de métal-or garantit à tout moment la valeur du signe circulant, nous restons dans le régime de la représentation. Entre le signe de valeur et la chose à valeur intrinsèque, il y a bien un écart, une distance, mais la chose d'or est toujours *présente* non pas, à proprement parler « à l'horizon » mais déposée quelque part dans un solide coffre, dans les *caves* d'un fort bien défendu. Elle est la garantie permanente et légale de la valeur du signe. Ici les rapports entre le pur signe arbitraire de valeur et la valeur intrinsèque ne sont pas problématiques. Une *Loi* assure la valeur représentative du signe. Et elle peut l'assurer grâce à un *trésor* qui se situe dans le même site étatique d'où elle émane.

2) Deuxièmement, dans la forme *fiduciaire,* le papier monnaie prend cette fois la forme d'un crédit, d'une promesse de payer une certaine somme d'argent. Ici la valeur d'un document écrit n'est plus assurée par l'Etat, mais elle dépend entièrement de la solvabilité du débiteur particulier. Le billet à ordre n'a plus le même pouvoir universel de représentation, quoiqu'il puisse dans certain cas, circuler aussi bien que la monnaie métallique.

3) Troisièmement, la forme nommée par Ch. Gide *conventionnelle*. Ici, expose l'économiste, le papier monnaie ne représente rien et ne donne un titre à rien. Le terme de papier monnaie est souvent réservé, au sens strict, à ce type de monnaie purement conventionnelle. Il est émis par un Etat qui ne possède pas de pièces métalliques. Certes on peut trouver inscrit dessus « billet de 5 £, billet de 10 £ », et ainsi comme dans les formes précédantes, ces papiers monnaies ont toute l'*apparence* d'une promesse de payer une certaine somme d'argent. Mais continue Ch. Gide, on sait que c'est *une pure fiction*. Le gouvernement ne peut les honorer, il n'a aucune encaisse métallique pour cela...

Nous sommes donc ici aux antipodes de la forme représentative. Il n'y a d'encaisse nulle part pour garantir directement chaque billet et il n'existe même, en fait comme en droit, aucune possibilité de convertibilité. En apparence les signes circulants *valent* pour une certaine quantité d'or ou d'argent, mais c'est une *pure fiction* puisque la couverture (le trésor) n'existe nulle part. Les caves de la banque centrale sont vides.

Les termes employés par Ch. Gide pour définir cette forme de circulation des signes monétaires sont dignes d'être soulignés. Ils ouvrent sur un champ conceptuel qui dépasse l'économie, et qui rend immédiat et presqu'inévitable, le parallèle avec le problème plus général de la représentation. Ce papier monnaie « *ne représente rien* », sa valeur est de l'ordre de la « *convention* », de la « *pure fiction* » — bien qu'il ait toute « l'apparence » de la monnaie représentative. Il n'est pas une de ces notions, on le voit, qui ne dessine un mode de signifier très problématique quant au rapport qu'il entretient à la réalité, et même à la vérité. Et il n'est pas une de ces notions qui ne concorde avec la crise fondamentale qu'André Gide affronte dans *Les Faux-Monnayeurs* — cette fois du côté du langage et de la littérature, dans son rapport à l'être.

Il est remarquable que la réflexion économique oblige ainsi à produire une théorie des degrés de convertibilité qui implique des relations diverses entre le réel, la valeur et le signifiant, relations qui appartiennent sans doute à une logique plus générale de l'échange (de la communication) dans laquelle le langage lui-même est pris.

Il est bien clair qu'une gradation logique distribue dans cet ordre les trois formes de papier monnaie : il s'agit d'un mouvement progressif de perte du pouvoir de représentation directe, vers une inconvertibilité complète. Dans la première substitution, le papier écrit se rattache encore au trésor métallique. Dans la seconde forme, fondée sur la confiance, la valeur du billet est encore garantie en droit. Mais dans la troisième forme, dite conventionnelle, ou fictive, aucune couverture n'est plus garantie, ni en fait ni en droit. C'est le régime monétaire de l'*encaisse vide*. On ne peut même plus parler strictement de substitution, puisque le papier ne représente *rien* sinon une pure notion conventionnelle de valeur. Tout son prix ne tient que dans la décision. C'est seulement dans le champ opératoire limité d'un échange rapide (d'un *mouvement* d'échange, dans l'achat) que cette valeur décisoire peut *tenir*. C'est la fonctionnalité opératoire qui soutient la valeur, et non plus, comme c'était le cas au départ, la valeur intrinsèque « éternelle » qui garantissait à tout moment la fonctionnalité échangiste. Entre la valeur et l'opération d'échange, il y a un véritable renversement et un tout autre régime du temps.

S'il vaut la peine d'approfondir cette dialectique du papier monnaie conventionnel, c'est qu'elle dépasse dans son principe le champ de l'économie politique (comme toutes les procédures que décrit l'économie politique, en les croyant autonome) pour toucher quelque chose de décisif quant au rapport du sujet au signifiant, au sens et à la Loi. Ce qui apparaît le plus frappant dans cette circulation, c'est la dépendance totale des sujets de l'échange à la Loi, combinée paradoxalement (mais le paradoxe n'est qu'apparent) avec le *vide absolu* qui s'ouvre du côté de la Loi. Comme le souligne Ch. Gide, la valeur du papier monnaie est *précaire* car il dépend entièrement de la volonté du législateur, et peut être annihilé par la loi même qui l'a créée. Si la loi démonétise le papier monnaie, le propriétaire de billets n'a plus en sa possession que des chiffons de papier car la perte de la valeur légale est aussi la perte de toute valeur. Or la même chose, évidemment, ne saurait advenir dans le cas d'un bien en monnaie métallique, car derrière sa valeur *légale* cette monnaie a aussi une valeur « *naturelle* ». C'est bien cette valeur « naturelle » ou intrinsèque qui fonde la valeur légale. Ainsi dans la monnaie-or y a-t-il comme un accord entre la loi et la nature : un réglage de la valeur nominale (*nomos* ; *loi*) sur la valeur naturelle. Il y a donc une Loi de la loi. Il y a une indépendance relative à la loi juridique et civile locale au nom de la « nature » qui la dépasse et qui en fonde plus profondément les décrets.

Dans le papier monnaie rien de tel. C'est une dépendance totale à la convention législative. La valeur du papier « dépend seulement de la volonté du législateur ». Et non seulement la dépendance à la loi est si totale, si absolue, si intégrale qu'elle a la forme même de la servitude devant un despote, mais encore cette loi ne garantit la valeur que comme *valeur vide*. Les signes n'ont strictement que la valeur que la loi leur donne, et cette valeur foncièrement est une *absence* de valeur, puisque le billet (le jeton) est inconvertible. Certes, il est possible de s'en servir, sur le marché, mais il manque de cette garantie pour ainsi dire verticale qui en ferait une valeur hors-commerce. Sa valeur n'est qu'opératoire, et à condition que cette opération soit un échange marchand. Ainsi le despotisme de la loi se combine-t-il au vide de sa garantie verticale. Elle ne légifère que dans la transaction horizontale, où elle impose le cours forcé. Bien entendu, ces deux aspects sont strictement corrélatifs : c'est parce que sa garantie est vide verticalement, c'est parce que l'encaisse-or est incapable de couvrir la circulation et d'assurer une valeur représentative aux signifiants qui s'échangent, qu'il faut que cette valeur devienne conventionnelle et qu'elle ait cours forcé dans la transaction horizontale. L'Etat, le Trésor public, la Banque centrale, ces grandes instances transpersonnelles qui devraient répondre en terme de richesse authentique et au nom de la loi, de la valeur des jetons de papier qui circulent de main en main, ne peuvent que décréter le cours forcé, puisqu'elles sont devenues impuissantes à garantir partout et à tout moment une possibilité de convertibilité du fragile papier en brillant métal jaune. La valeur marquée n'est qu'une fiction de valeur, le résultat d'une convention scripturale qui règne en maître.

Ce qui est remarquable ainsi, dans la forme conventionnelle du papier monnaie, c'est que le manque de garanties quant à l'existence d'une couverture ne provient pas d'une défaillance singulière d'un débiteur, des aléas du rapport subjectif de confiance d'un individu à un autre individu. C'est du lieu même de la Loi qu'émane le défaut de garantie. *La Loi n'assure plus aucune convertibilité des signes qui proviennent cependant de son propre site, car du côté de cette loi, il n'y a pas de trésor.* Ainsi le lieu même de la Vérité, le lieu du code transcendant qui devrait assurer du rapport entre les signifiants circulants et ce qu'ils signifient *pleinement, profondément, réellement,* est comme défaillant. La Banque centrale d'émission est *vide* du métal précieux, vide de l'or sonnant et trébuchant qui seul pourrait assurer les billets mis en circulation de leur renvoi possible à quelque valeur dernière, située au-delà du marché entre les individus particuliers, et toujours en droit présentable. La perturbation aiguë dont témoigne *Les Faux-Monnayeurs,* parcouru par le thème de la défaillance des pères et par la suspiscion générale sur la capacité représentative du langage, métaphorisée par la monnaie fausse, trouve ici son articulation la plus centrale : les signes deviennent foncièrement flottants dans leur rapport au réel et à la vérité lorsque le lieu qui devait les garantir se donne légalement comme manquant. Dès lors c'est la convention signifiante elle-même qui devient faux-monnayage.

Nous pensons en effet que cette dialectique du trésor et du jeton, comme affectant intimement les rapports du sujet aux signifiants, au sens, et à la loi, dépasse très largement la question technique et économique de la monnaie conventionnelle. Il n'est qu'à considérer les concepts majeurs qui y sont en jeu pour se convaincre que des plans habituellement aussi étrangers l'un à l'autre que le linguistique, le politique, le religieux, y trouve là une mise en œuvre « métaphorique » immédiate. Car il s'agit d'une dialectique de l'échange ; et que dès lors se sont des logiques très générales de l'intersubjectivité sociale que nous saisissons ici à travers des concepts apparemment économiques.

Et il faudrait insister aussi dès à présent, avant d'y revenir plus loin, sur ce qui nous permettrait de caractériser le plus gros de la pensée contemporaine récente (y compris celle de Lacan) comme pris dans ce moment paradoxal du despotisme du signifiant vide, c'est-à-dire dans cette logique limite de l'inconvertibilité radicale des signes. A cette étape du développement historique du signifiant (si l'on ne cherche pas une issue du côté d'un mouvement de re-convertibilité) il n'y a que deux positions possibles. La non-convertibilité rassure le rapport à une Loi despotique devenant paradoxalement le seul garant du vide de toute garantie. La

183

servilité absolue à la Loi sans trésor s'accompagne de l'acceptation du *jeu* indéfini des signes. La loi abstraite devient la garantie inébranlable de l'*absurdité* des signifiants. En une autre position, qui rejoint pourtant la première, c'est la récusation de tout signifié transcendantal, l'affirmation de la flottaison, de la dérive indéfinie des signes. Dans les deux cas il s'agit d'un moment critique dans l'histoire du signifiant, l'affirmation de la vérité métaphysique de l'inconvertibilité.

Revenons encore une fois, avant de rencontrer de nouveau le signe du langage, à la circulation économique.

La loi qui régit la monnaie-or et celle qui régit le billet n'offre pas du tout la même garantie. Ce sont deux régimes tout différents du rapport à l'instance législative. Considérons d'abord la monnaie-or. La loi assure ici la coïncidence entre ce qui est *écrit* et ce qui est *réel* : les pièces de monnaie sont des lingots dont le poids et la pureté sont garantis par l'Etat et certifiées par les marques imprimées sur le métal. L'Etat est ce site qui assure que la valeur intrinsèque est égale à la valeur nominale, qu'il y a bien une correspondance entre la valeur *réelle* de la pièce de monnaie en tant que morceau d'or, et la valeur *écrite* sur ce morceau de métal. « Voici, *dit Ch. Gide,* une pièce d'or de 20 francs. En gravant sur cette pièce la marque 20 francs, en même temps que les armes nationales, le gouvernement certifie que la pièce vaut réellement 20 francs et qu'elle peut être reçue par tous en pleine confiance [3]. » Il n'est pas besoin d'une longue analyse pour entrevoir la portée éthique et pour ainsi dire métaphysique de cette certification. En assurant que la valeur nominale est rigoureusement égale à la

---

3. *Principes d'économie politique* (IV, 3).

valeur intrinsèque la loi étatique établit un rapport d'adéquation entre une écriture et un réel. Mais aussi il ne fait
que garantir une concordance qui, par ailleurs, pourrait très
bien exister sans cette garantie officielle. Son rôle consiste
à entériner un fait davantage qu'à instituer une relation.
La loi n'impose rien. Son rôle est de dire ce qui est, et de
garantir que cela est. La loi ne force rien, mais témoigne
de la vérité, la certifie. C'est un rôle de régularisation. La
marque « 20 francs » permet seulement l'économie d'une
pesée et d'un calcul. Davantage encore, la loi doit se confor-
mer à un principe supérieur pour être loi : la monnaie
légale doit avoir une valeur intrinsèque rigoureusement égale
à sa valeur nominale. Et dès lors ce que la loi étatique
garantit c'est plutôt sa propre conformité à un principe
supérieur transcendant auquel elle assure qu'elle a obéi :
la juste coïncidence entre valeur nominale et valeur intrinsèque. Comme l'écrit Ch. Gide, « si la monnaie n'a pas
la valeur qui lui est attribuée, *l'Etat commet une faute* »[4].
Ainsi la légalité étatique n'est pas ici la Loi tout court,
mais c'est plutôt ce qui certifie la conformité à une Loi
supérieure qu'elle n'a pas édictée elle-même et à laquelle
elle assure qu'elle se soumet. La loi (écrite et particulière)
dépend d'une Loi (non-écrite et transcendante).

On voit qu'il n'est pas nécessaire de solliciter exagéré-
ment les notions qui entrent en jeu dans cette concordance
pour y voir la garantie d'un certain rapport d'adéquation
entre les mots (valeur nominale) et les choses (valeur intrinsèque) c'est-à-dire entre l'ordre du langage (et précisément
du signifiant scripturale) et l'ordre du réel. Ce rapport apparaît même ici comme interne à l'instrument d'échange lui-
même (équivalent général circulant) et comme n'impliquant

---

4. *Ibid.*

pas nécessairement un rapport à une marchandise non-monétaire. C'est au niveau de l'équivalent général lui-même que peut se régler une certaine concordance entre le réel et le symbolique pur. Il n'est pas besoin d'entrer sur le marché et d'acheter un bien pour être sûr d'une certaine adéquation entre l'*être* et le *nom*. En dehors de toute mise en circulation et de rapport avec la variété bigarrée des marchandises de formes, d'usages, de matières et de poids différents, en dehors de toutes comparaisons avec les formes relatives de la valeur, il existe dans la forme équivalent général elle-même la certitude d'une coïncidence entre l'être et le nom. Cette adéquation passe par l'identité de deux valeurs. La valeur intrinsèque de la monnaie d'or, comme matière précieuse, coïncide avec la valeur nominale, qui est valeur écrite, et aussi édictée, posée idéalement comme mesure.

Tout à fait différente est la loi qui régit l'émission du billet. Ici elle ne se réduit pas à garantir la coïncidence entre ce qui est *présenté* et ce qui est écrit. Elle ne fournit qu'une écriture. Et elle assure (dans le cas du papier monnaie convertible) que cette écriture *renvoie* par delà des opérations plus ou moins indirectes, à une valeur réelle encaissée dans les coffres et les caves de l'Etat. Le trésor a disparu de la circulation. La croyance ou le crédit qu'il faut accorder à la loi dépasse ce qui est immédiatement donné. La couverture existe, sans doute, mais elle n'est pas visible. Certes, il y a encore un rapport *vertical* du billet à la valeur en soi. Il vaut pour de l'or caché, et pas seulement pour une marchandise profane achetée sur le marché en une relation horizontale d'équivalence. Il y a donc encore une dimension de transcendance, de profondeur. En d'autres termes tout se passe comme si le plan de la combinatoire devenait dominant, mais laissant encore une place, quoique virtuelle, pour le plan de l'*association* en profondeur.

Enfin, dans le cas de la monnaie conventionnelle, ou fictive, le statut de la loi par rapport au signifiant atteint un stade nouveau. Cette fois, l'Etat ne garantit que la possibilité d'un métabolisme horizontal, l'échange du billet contre une marchandise, sur le marché, mais il n'existe plus aucune couverture-or. Le billet ne représente rien. Il n'a de sens que dans la pure opération d'échange. C'est un *jeton*, un *pion*, qui n'a de valeur qu'opératoire dans un jeu de rapport, de relation réciproque. La loi est devenue ce qui force le cours du billet, elle est à la fois l'instauratrice absolue de la convention de valeur et ce qui fait régner cette convention.

Ainsi c'est un changement décisif du rapport à la loi qui survient lorsque l'on va de la monnaie-or au numéraire convertible, et de là au simple billet inconvertible. Dans ce passage la loi n'est plus ce qui garantit une justice qui la dépasse, mais de plus en plus ce qui invente, décrète et institue un ordre qui n'a à répondre nulle part ailleurs qu'en lui de son existence. Comparer à la monnaie-or qui implique une distinction entre la loi étatique et un principe supérieur qui transcende la loi étatique, la circulation du papier monnaie est *formellement* despotique. Le cours forcé est un coup de force. L'Etat oblige, mais ne s'oblige pas.

Si originairement la monnaie (*nomisma*) a une relation étroite avec la loi (*nomos*) il apparaît clairement que la « numismatique » théorique que nous proposons permet de repérer différents modes historiques de cette implication. Et l'on voit que se joue ici des relations très générales du sujet aux signifiants et à la loi qui semblent constituer des configurations qui dépassent le champ économique ou le champ linguistique pour s'étendre aux systèmes de l'*échange* dans son ensemble, et toucher toutes les formes de *valeur*. C'est un certain statut de la valeur (qu'on prenne le terme en un sens économique, linguistique, psychologique, éthique, religieux) qui chaque fois est défini par les dispositifs que nous analysons. Très clair au niveau de l'échange économique ces dispositifs sont plus difficiles à saisir aux autres niveaux bien que l'on puisse découvrir des configurations correspondantes.

Le prêche s'est emparé souvent, pour y faire prévaloir sa cause, de la question de l'or et du billet de banque. La pièce de monnaie à l'effigie de César n'a pas toujours été rendu à César. Elle a été mesurée sur la balance théologique, jugée par la compatibilité de sa circulation avec les principes supposés, par exemple, d'une « économie chrétienne ». Quelques-uns ont cru pouvoir discerner dans tel ou tel trait de la politique monétaire contemporaine ce qui trahissait l'influence du Malin, et risquait d'entraîner dans le gouffre de l'athéisme. La disparition de l'étalon-or est avec l'inflation et l'usage des monnaies « fictives » l'un des dangers le plus constamment dénoncé par cette actuelle prophétie. Les implications à la fois métaphysiques et politiques de la monnaie sans couverture n'ont cessé d'être à l'ordre du jour, et peut-être surtout au cœur du système monétaire occidental, en Amérique. C'est ici que la signification morale et religieuse de la suppression de l'étalon et de l'absence de couverture-or a sans doute été formulée de la façon la moins nuancée, donc la plus symptomatique. La dimension religieuse du « gold standard » ne se révèle pas à travers l'obscur transfert de sens de quelque métaphore indiscrète, comme c'est le cas chez certains économistes et philosophes européens mais elle est ouvertement reconnue. La confiance en la monnaie et la croyance en Dieu ont parties liées. Le retour à une économie fondée sur l'étalon-or est une exigence religieuse qui nourrit constamment la revendication des plus fondamentalistes. Ainsi cette déclaration : « *Laissez une nation abandonner l'étalon-or et elle reléguera bientôt Dieu à la seconde place.* » (« Let a nation leave the gold standard, and it will soon releguate God to the second place [5]. ») Ceux qui pourraient suspecter nos déductions de *Numismatiques* et notre insistance sur le site symbolique de l'étalon [6] d'être à leur tour des spéculations sauront apprécier la naïveté du propos (au sens rhétorique) et reconnaître que les congruences que nous exposions, ont bien quelque part une activité.

Constamment, la disparition de la monnaie-or circulante (*sound money*) et son remplacement par une monnaie arbitraire ou décisoire (*fiat money*) émise par l'Etat est dénoncée comme une œuvre du mal. Le papier monnaie sans couverture est une forme légalisée du faux-monnayage. La loi sur les moyens de paiements légaux (legal tender law) selon laquelle certaines « monnaies » comme les billets de banque *doivent* être acceptées à leur valeur marquée est immorale. Le passage de la monnaie-or à la monnaie fictive coïncide avec la domination grandissante de l'Etat sur l'individu. Celui-ci perd son autonomie de propriétaire d'une valeur garantie absolument. Quand la monnaie fictive remplace la monnaie métallique, « alors l'Etat manipule l'individu en manipulant sa monnaie » [7]. L'*athéisme* monétaire de la monnaie-jeton ouvre la voie à l'*étatisme* politique. Ce n'est pas de Dieu que dépend directement le sujet, mais, sous un ciel vide, de la puissance de l'Etat devenu le garant despotique de la valeur des *signes* sans valeurs. Ainsi « le rejet de l'étalon-or ouvre la porte à une société planifiée et à une économie dirigée » [8]. La manipulation monétaire qui joue sur de simples signes bancaires est responsable de la servitude que font peser sur le citoyen « ceux qui voient

---

5. Rus WALTON, *One nation under God,* Third Century Publishers, Washington D. C. 1975, p. 260.
6. Cf. *Les iconoclastes.*
7. Rus WALTON, *op. cit.,* p. 235.
8. *Ibid.,* p. 260.

dans l'Etat la réalité suprême et dans l'individu le servi-
teur » [9].

Le passage de la monnaie-or à la monnaie-jeton coïncide-
rait, dans cette conception, avec l'étatisme, l'athéisme et le
déclin de l'individu. Nous montrions la solidarité socio-
symbolique entre la genèse de la mesure unique et celle du
monothéisme. Rien d'étonnant alors si l'ébranlement de la
confiance dans l'étalon-or (équivalent général mesurant)
retentit homologiquement sur la croyance en Dieu. C'est le
site transcendantal de la Mesure, garantie absolue de toutes
valeurs circulantes, qui est atteint. Le nouveau système de
la monnaie fictive est athéiste. Et ce n'est sans doute pas
un hasard si, par une décision du Président Eisenhower
dans les années cinquante (et donc quelques décennies *après*
que la monnaie américaine soit devenue simple jeton sans
couverture), la mention « in God we trust » fut inscrite
sur toutes les pièces et les billets circulants aux USA.
L'athéisme financier d'un dollar américain devenu pur et
simple signe, sans le signifié transcendantal de l'étalon-or,
ni le référent possible à une encaisse présente dans les coffres de la banque centrale, s'accompagnait par compensation
symbolique d'une profession de foi monothéiste qui contre-
balançait sa mécréance devenue structurelle. Comme pour
conjurer, en une claire affirmation de la croyance en Dieu,
la perte de toute convertibilité avec l'or unique, l'Etat
rétablissait par cette *devise* solennelle la créance dans le
fiduciaire.

---

9. *Ibid.*, p. 260.

# 5. Le signifiant inconvertible

Saussure, on le sait, rapproche la linguistique de l'économie politique, comme deux sciences qui ont affaire à la notion de *valeur*. Ne peut-on comparer en effet la valeur d'un mot et la valeur d'une pièce de monnaie ? Oui, et cette comparaison nous apprend que dans un cas comme dans l'autre, c'est suivant deux dimensions et non pas une seule, que la valeur peut être définie.

« Même en dehors de la langue toutes les valeurs semblent régies par ce principe paradoxal. Elles sont toujours constituées :

1° par une chose *dissemblable* susceptible d'être *échangée* contre celle dont la valeur est à déterminer ;

2° par des choses *similaires* qu'on peut *comparer* avec celle dont la valeur est en cause.

Ces deux facteurs sont nécessaires pour l'existence d'une valeur. Ainsi pour déterminer ce que vaut une pièce de cinq francs, il faut savoir : 1° qu'on peut l'échanger contre une quantité déterminée d'une chose différente, par exemple du pain ; 2° qu'on peut la comparer avec une valeur similaire du même système, par exemple une pièce d'un franc, ou avec une monnaie d'un autre système (un dollar, etc.). De même un mot peut être échangé contre quelque chose de dissemblable : une idée ; en outre, il peut être comparé avec quelque chose de même nature : un autre mot. Sa valeur n'est donc pas fixée tant qu'on se borne à constater qu'il peut être « échangé » contre tel ou tel concept, c'est-à-dire qu'il a telle ou telle signification ; il faut encore le comparer avec les valeurs similaires, avec les autres mots qui lui sont opposables. Son contenu n'est vraiment déterminé que par le concours de ce qui existe en dehors de lui. Faisant partie d'un système, il est revêtu, non seulement d'une signification, mais aussi et surtout d'une valeur, et c'est tout autre chose [1]. »

Ce texte mériterait un long commentaire. Saussure y trahit, mieux qu'ailleurs, l'imaginaire économique qui soustend sa conception de la langue. Une pièce de cinq francs peut entrer dans un rapport d'échange avec une chose différente (du pain) et dans un rapport de comparaison (qui est aussi, éventuellement un rapport d'échange) avec une chose semblable (monnaie du même pays, ou d'un autre pays dans le cas de l'opération de change). Une monnaie peut donc se définir suivant deux axes de comparaisons : les marchandises ou d'autres monnaies. Pareillement, dit Saussure, un mot peut être échangé contre une idée (dimension de la signification) ou être comparé avec d'autres mots (dans la synonymie par exemple, ou dans la traduction en une autre langue). Le linguiste établit donc un parallèle entre le *prix*

---

1. SAUSSURE, *Cours de linguistique générale,* Payot, p. 159 et 160.

(relation entre la pièce de monnaie et le pain) et la *signification* (relation entre le mot et l'idée), mais ce qui est remarquable est qu'il tient aussitôt cette relation (que l'on peut dire verticale) pour peu d'importance. Ce n'est pas elle qu'il va retenir, mais la relation horizontale du semblable au semblable, qui permet de comparer la monnaie avec la monnaie, et les mots avec d'autres mots. C'est qu'en effet pour Saussure la propriété qu'à le mot de représenter une idée ou un concept (c'est-à-dire la signification) sera bientôt considérée comme un aspect second de la valeur linguistique, qui n'entrera plus, en fait, en ligne de compte, et qui sera entièrement subordonné au *système* de la langue, « système de pures valeurs que rien ne détermine en dehors de l'état momentané de ses termes » [2] et comparable en cela à une algèbre.

Ainsi, après avoir stipulé deux dimensions pour la détermination de la valeur, Saussure n'en retient bientôt qu'une, comme déterminante. Non plus celle par laquelle le mot représente directement l'idée, mais celle par laquelle le mot renvoie à d'autres mots (de la même langue ou d'une langue étrangère). Or si l'on prend au sérieux le parallèle avec l'économie politique, il apparaît immédiatement que Saussure subordonne entièrement le rapport direct de la monnaie avec les marchandises (une pièce de cinq francs vaut pour telle quantité de pain) à la relation plus abstraite de la monnaie avec la monnaie : ce ne sont plus que les opérations financières, celles de la *banque* et celle du *change,* qui intéressent le linguiste genevois. Peu importe maintenant que cinq francs puissent s'échanger avec un morceau de pain (relation de prix) il faut savoir avant tout combien cinq francs valent de dollars (relation de change). Ce n'est plus

---

2. *Ibid.,* p. 116.

le prix des marchandises, mais « la valeur de l'argent », ou « le cours du franc » qui à présent importe au premier chef. Ainsi Saussure par sa comparaison même, trahit la signification *bancaire* de sa théorie linguiste [3]. Non seulement, remarquons-le, il n'envisage à aucun moment qu'un mot pourrait représenter une chose (et non pas une idée) mais la comparaison entre l'idée et la marchandise le détourne définitivement du problème de la mesure du sens, de l'étalon des prix, de l'origine de la valeur (dimension où il aurait fallu rencontrer le travail du côté de l'économie politique, et sans doute des *archaï* transcendantes du côté du langage).

Saussure donc, excluant le problème de la *racine* des valeurs, puisque « les données naturelles n'ont aucune place » [4] en linguistique, déploie sa conception algébriste de la langue, où ni la *nature,* ni l'*idée* ne constituent une dimension de garantie. Saussure s'oppose vigoureusement à la conception suivant laquelle la *valeur* d'un mot proviendrait de la propriété qu'il a de « représenter une idée » ou un « concept donné d'avance ». Non seulement, bien entendu, le mot ne représente pas une chose (le mot « pain » ne représente pas le pain réel visible) mais il ne représente même pas le concept ou l'idée de pain. Car surtout n'allons donc pas croire, à la manière platonicienne, qu'il existe des concepts donnés d'avance, des idées indépendantes de la diversité des langues et que les mots n'auraient plus qu'à désigner. Il n'y a aucune antériorité de la chose ou de son idée sur le *système* de la langue [5].

---

3. Cf. notre critique de Saussure dans « La réduction du matériel » in *Economie et symbolique,* p. 115 et suiv.

4. *Cours de linguistique générale,* p. 117.

5. En ce sens il était insuffisant de parler simplement, comme nous l'avons fait dans « la réduction du matériel » de l'*idéalisme* de Saussure.

Si l'on part de la distinction entre les trois fonctions de l'équivalent général que nous avons dégagées plus haut, il devient clair que Saussure exclut les deux dimensions de la mesure transcendante (archétype) et de la présence « en personne » (réalité) pour privilégier presqu'exclusivement la fonction échangiste (ou même *changiste*) dans l'ordre du symbolique pur. Le mot ne renvoie ni à l'idée ni à la chose, mais d'abord à d'autres mots, et c'est cette relation pure, interne à la langue, qui définit sa valeur. La langue, dit Saussure, est comparable à une algèbre, car la valeur n'a aucune racine dans les choses et leurs rapports naturels. Saussure développe donc une conception extrêmement dissociée de l'équivalent général. Excluant de son champ *l'archétype* et le *trésor,* il réduit le langage au registre du *jeton.* Il s'agit d'un exemple remarquable de la désintrication des fonctions de l'équivalent général dans la modernité, et de la prééminence d'une seule fonction, celle du symbolique pur, sur toutes les autres. On reconnaîtra aisément ici, un cas exemplaire et précurseur, de la configuration épistémologique et philosophique, et même littéraire, qui sous une forme ou sous une autre a envahi et dominé une époque qui a cru pouvoir se fonder sur l'autonomie du symbolique pur. Saussure, Roussel, Lacan, et bien d'autres, appartiennent à cette époque, ou le *jeu* du signifiant apparaît comme la seule vérité d'un monde sans vérité [6]. Mais il est remarquable que Saussure se trahit, comme chacun, par ses métaphores. C'est dans un monde tout nouvellement dominé par *l'algèbre* et la *banque* (par le calcul technologique comme par les procédures financières qui autorisent

---

6. Dans *Les iconoclastes* nous avons montré le parti fictionnel que W. Burroughs a tiré du signifiant mécanographique (cf. « téléscripteur W. B. » p. 115 et suiv.).

une conception *mécanographique* et *changiste* du signe) que le linguiste genevois formule sa théorie du langage.

Marx théorise dans une économie dominée massivement par la monnaie métallique (or ou argent), ou à la rigueur par un numéraire immédiatement convertible. Il aurait pu dire, comme Rilke, étudiant les débuts de la Renaissance : « A l'époque dont je m'occupe, l'argent était encore de l'or, du métal, une belle chose, la plus maniable, la plus intelligible de toutes [7]. » Dans ce type de circulation le *simple signe,* celui qui constitue la monnaie fiduciaire ou scripturale, ne joue encore aucun rôle autonome décisif. Il est pensé comme le tenant-lieu d'une valeur matérialisé *ailleurs,* et contre lequel il pourra, de nouveau, être échangé. La monnaie fiduciaire et scripturale n'est que la *contre-marque* circulante qui se donne, s'accepte, se déplace dans l'horizon d'une encaisse métallique qui en garantit directement la valeur. Si la monnaie dans sa fonction d'intermédiaire est déjà logiquement placée en position de pur symbole (car en droit un pur symbole sans valeur intrinsèque *peut* la remplacer) le système de ce remplacement et de ce différé n'est pas assez généralisé pour que la sphère de la circulation soit entièrement dominée par le règne du *pur substitut.* La fonction de moyen de paiement, et de thésaurisation, continue à s'attacher à l'instrument monétaire. La différence entre « nature » et « espèces » n'est pas radicale puisque la monnaie est encore marchandise. Dans ce régime de la monnaie métallique ou de l'étalon-or, *l'autonomie du substitut* n'apparaît pas encore. La fonction substitutrice d'intermédiaire des échanges n'a pas encore pris le dessus sur les deux autres fonctions (de mesure idéale et de thésaurisa-

---

7. *Lettres 1907-1914.* Cité par HEIDEGGER dans *Chemins qui ne mènent nulle part,* Idées / Gallimard, 1980, p. 350.

tion) de l'équivalent général. La pièce de monnaie est un petit *lingot*. Il est de plus authentifié par la Loi. Il réunit donc le prestige de la valeur intrinsèque dans sa *matière,* et de la valeur nominale dans sa *forme.* Ainsi Jevons, cité par Charles Gide, donne la définition suivante : « Les pièces de monnaie sont des lingots dont le poids et le titre sont garantis par l'Etat et certifiés par l'intégrité des motifs imprimés sur les surfaces de métal [8]. » L'or massif du lingot, matière de valeur, est légalisé par une forme, une *figure,* qui en garantit le poids et le *titre.* Dans le régime de la vraie monnaie, il y a une coïncidence complète entre la valeur *intrinsèque* et la valeur *nominale.* « Toute monnaie légale doit avoir une valeur intrinsèque rigoureusement égale à sa valeur nominale », écrit Ch. Gide [9]. Ici, le *mot* et la *chose,* le nom et la matière, coïncident. La monnaie porte *inscrit* sur sa matière la valeur de cette matière comme si la *chose,* la *valeur* de la chose et le *nom* désignant la valeur de cette chose, étaient unis indiscernablement. Là encore la solidarité structurale qui peut exister entre ce type de monnaie et un langage qui se donne comme représentatif (la « numéraire facile et représentatif » de Mallarmé, qui « dessert l'universel reportage ») saute aux yeux.

Or, depuis Marx et Mallarmé, ce type de monnaie a disparu de la circulation. L'illusion fétichiste s'est donc déplacée. Ce qui est devenu dominant c'est une circulation de purs jetons, sans encaisse ni étalon. L'illusion ne porte plus sur la valeur-en-soi de la denrée monétaire, mais plutôt sur la possibilité d'une *autonomie complète du symbolique pur.*

La substitution d'un billet à l'or sonnant et trébuchant implique une isolation de la valeur nominale, jusqu'à l'auto-

---

8. *Principes d'économie politique.*
9. *Ibid.*

nomiser comme qualité suffisante pour la circulation. Le jeton ne remplace la médaille que lorsque, de la médaille, on ne retient que sa fonction de jeton. C'est l'utilité en vue de l'échange, pour l'échange, et dans l'échange, à l'exclusion de tout autre fonction possible, qui fait de la médaille un jeton, et qui permet donc, sans invraisemblance, de faire jouer à un jeton le rôle que jouait une médaille. Ce remplacement correspond donc à *l'affirmation effective d'une domination totale de la fonction échangiste (ou même changiste) sur toute autre fonction.* Ce n'est vraiment qu'avec le despotisme universel du jeton, simple « signe de valeur » sans valeur intrinsèque, que se trouve réalisé pratiquement la domination complète de la valeur d'échange.

Ainsi, dans l'histoire discontinue qui conduit à la formation de l'équivalent général, puis qui se poursuit comme un développement de cette forme, le jeton, en actualisant sa seule fonction de *medium* échangiste, et en la séparant des deux autres (mesure et thésaurisation) précipite jusqu'à un point mortel qui est la limite même de la logique de l'équivalent général circulant, l'unilatéralité de l'abstraction qu'il introduit. Le règne du jeton induit l'illusion d'*une autonomie du symbolique pur,* mais cette apparence d'autonomie n'est que le mensonge achevé de l'abstraction échangiste.

Le jeton, comme mot ou monnaie ayant perdu toute capacité évocatoire, est donc à son tour, le symbole de la raison formalisée. Le jeton est un élément minimum qui entre dans un calcul, c'est le signe réduit à sa valeur opératoire. Dans une économie du jeton, le signe est manipulé, combiné, comme un simple instrument pour la raison calculatrice. Avec le jeton, l'échange cesse d'engager les valeurs elles-mêmes, pour ne plus faire circuler qu'un signe arbitraire qui renvoie à elles conventionnellement, mais qui ne sont pas elles. Ainsi tout échange se fait par substitut interposé, ou substitut de substitut, report indéfini, de sorte que plus rien n'entre « en personne » sur le marché. Partout de la *suppléance*. Nulle part de la *présence*. Toujours du *report*. Nulle part du *trésor*. Une certaine *irréalité* envahit toutes les relations qui sont réduites à quelques conditions formelles minima, sans que la « totalité », l' « implicite », la « vérité », la « profondeur », ne puissent entrer dans le métabolisme. Lorsque la structure du jeton domine, les deux autres fonctions inhérentes à tout échange sont secondarisées : la fonction de mesure (le site de la monnaie-archétype) et la fonction de thésaurisation ou de réserve (le site de la monnaie-trésor). Ou encore, pour parler en terme plus philosophique, c'est l'*idéalité régulatrice* et c'est la *profondeur « poétique »* [10] qui sont méconnues. Il est clair que la moderne société technocratique fait prédominer massivement dans les échanges, quels qu'ils soient, la fonction du jeton, jusqu'à autonomiser ses opérations et à refouler presque complètement les deux autres dimensions engagées dans la logique de l'échange.

L'ordinateur, l'opération bancaire mécanographique, le formalisme structural, l'insistance (en logique ou en psychanalyse) mise sur le signifiant autonome et inconvertible, tout cela appartient au règne d'un échange devenu entièrement médiatisé par le jeton. Cette domination correspond à la perte de toute dimension *dialectale* du langage. Ce n'est plus par l'échange vivant dans l'argumentation, ou dans l'espace réversible du marchandage, des significations (rationalité parlementaire) que se fixe le sens, comme se fixe le prix, point d'équilibre (d'entente, d'accord) des parties *en présence*. Le langage n'est plus un moyen de dialogue vivant, mais il est séparé des interlocuteurs, chaîne de signes

---

10. Sur cette profondeur « poétique » comme *réserve* et *trésor,* cf. nos analyses, *supra.*

autonomes, capables d'entrer dans des opérations machiniques qui le divise, le combine, le recompose. Le signe mécanographique devient dès lors, en une perversion caractéristique de tout un courant de la pensée contemporaine, le modèle même de tout signifiant, et une preuve que le signifiant constitue un *ordre* autonome par rapport aux sujets vivants, comme la machine à calculer fonctionne en dehors de la pensée intuitive. Dépossédé de son initiative dialectale, le sujet est bientôt conçu en retour comme soumis despotiquement aux jeux autonomes du signifiant. Effet de ce jeu tout puissant il n'est plus qu'un « pion du signifiant » (*Lacan*).

Car l'*inconscience* dans laquelle se produisent les opérations machiniques, est bientôt homologué à l'*inconscient*. Le sujet humain n'est plus conçu que comme un esclave obéissant comme un cadavre à la loi despotique du signifiant. De la parole vive et dialectale à la machine, Lacan a bien vu le mouvement. Mais il a privilégié la machine, comme modèle épistémologique, et réduit le symbolique à ce qu'une machine est capable de manipuler. « La parole est d'abord cet objet d'échange avec lequel on se reconnaît (...) La circulation de la parole commence ainsi, et elle s'enfle jusqu'au point de constituer le monde du symbole comme détachée de l'activité du sujet. *Le monde symbolique, c'est le monde de la machine* [11]. » De l'échange simple duel à la circulation développée, et de cette circulation au règne d'un pur substitut détachable et autonomisé, tel est en effet le mouvement. Mais Lacan n'en fait pas seulement la description, il en revendique les effets pour penser le symbolique. Il homologue l'inconscient au jeu d'une machine de langage *détachée* de l'activité du sujet, et pouvant

---

11. *Le Séminaire* II, p. 63 (souligné par nous).

fonctionner à l'absence de celui-ci, comme le fait un ordinateur qui combine des algorithmes. Cette conception *machinique* du symbolique (qui *seule* permet à Lacan de fonder la différence entre le symbolique et l'imaginaire) dénonce l'appartenance du lacanisme à une configuration épistémologique de type techniciste. Le lacanisme est en partie l'expression de la domination unilatérale, dans la configuration contemporaine, de la logique du jeton. Mais l'inconscient de l'homme moderne est justement ce qui *résiste* au signifiant machinique, à ce symbolique pauvre et formalisé auquel on essaie de réduire le « fonctionnement » de l'âme. L'inconscient n'est pas du tout dans l' « inconscience » des opérations désaffectées et désimaginées que produiraient des jetons de langage. Il est la protestation non-traduite contre cette réduction moderne du sens qui prive l'âme de ses ressources imaginatives. L'inconscient se constitue comme le refoulé, le non-traduit, de la raison formalisée, et ce n'est donc pas cette raison formalisée et ses jetons désaffectés qui en détiennent la vérité. En élevant le symbolique pur, sur le modèle cybernétique et machinique à la hauteur d'un déterminant absolu, on tente de pallier la disparition des référentiels, mais sur un mode qui loin de contester, confirme et consolide cette disparition. En cela la promotion métaphysique extraordinaire du symbolique pur, la glorification presque théologique du jeton (sous la forme de la lettre et du pur signifiant) est la dernière posture possible, pour prévenir l'irruption d'un rapport nouveau à la dimension de la Mesure.

Les valences véritablement métaphysiques et imaginales que Gœthe et Gide rattachent au fiduciaire nous apprennent quelque chose qui ne peut être éludé et qui permet de creuser la critique de l'économie politique par l'exposition de significations que l'analyse des *faits* et des procédures techniques ne relève pas. L'imaginaire du papier monnaie n'est pas un voile, une illusion, une fausse conscience, qui nous dissimulerait, une procédure opératoire. A l'encontre de cette réduction (qui est elle-même un effet d'un certain type d'échange, de rapport) nous disons que toute procédure a un sens, qu'elle détermine un certain type de rapport des sujets à eux-mêmes, aux autres et au monde. Utiliser de la monnaie au lieu de faire du troc, utiliser du papier monnaie au lieu d'échanger de l'or, signer un chèque au lieu d'utiliser du papier monnaie, etc., ce n'est pas simplement changer de technique d'échange, mais entrer dans un autre *drame,* dont la description adéquate doit faire intervenir des significations éthiques, métaphysiques, philosophiques, mythiques, extrêmement complexes. C'est d'ailleurs ce que fait Aristote, lorsqu'il étudie l'institution de la monnaie à l'occasion de la notion éthique de *justice* (dans *l'Ethique à Nicomaque*) et non pas comme une procédure économique qui serait autonome. Il y a une éthique et une métaphysique *dans* un certain type d'échange, dans son épaisseur signifiante et pré-réflexive. Des significations philosophiques aussi complexes que le rapport entre la nature et la loi, la matière et la pensée, le sujet, l'Autre, l'idéalité, etc., y sont engagés et pratiqués implicitement.

# 6. Le mythe du papier monnaie

Ch. Gide vit à une époque qui est à telle point dominée par la présence sensible de l'or, sous la forme palpable de la monnaie circulante qu'il prend encore le temps de s'interroger naïvement sur l'invention merveilleuse, mais aussi diabolique, du papier monnaie. Mystérieusement la création de papier monnaie apparaît comme équivalente à une création de richesse ; et en un sens, comme Adam Smith l'a montré, il en est bien ainsi. On ne sait pas, explique Ch. Gide, *qui* est l'inventeur du papier monnaie, mais ce que l'on sait est que son premier usage sur une large échelle est dû au financier Law en 1716, et que tout le monde connaît la catastrophe désastreuse qui résulta d'un tel système.

La banqueroute la plus totale marque en effet comme d'un signe funeste la première tentative d'émission de billet. Quand les porteurs inquiets voulurent échanger leur papier contre de l'or on s'aperçut qu'il n'y avait plus rien dans les caisses.

Et pourtant la question demeure, puisque l'échec de Law
(dont le nom de Loi ne peut pas ne pas être remarqué —
nom dans lequel on peut voir que la confiance des porteurs
ne s'adressait pas à n'importe qui) puisque l'échec de Law,
donc, n'a pas détourné l'histoire économique du destin qui
la porte vers les procédures de plus en plus médiates, le
report, la substitution, la convention. Comment la création
de papier monnaie est-elle équivalente à une création de
richesse ? Suffirait-il de produire des *signes* de valeur, pour
créer de la valeur ? N'y a-t-il pas ici une procédure qui
fascine l'imagination, car dans ce rapport troublé entre le
signe et la chose, ce n'est plus tant une technique ration-
nelle qui est mise en œuvre, qu'une pure et simple magie ?
Comment un signe d'or peut-il remplacer l'or ? Nous sommes sans doute trop rassis, nous autres hommes du siècle
des machines à penser, de la combinatoire structurale, et des
opérations bancaires, *homme-pion* de la dérive infini des
substituts et de la chaîne signifiante, pour trouver encore
en nous, la fascination naïve du papier monnaie. Pour retrouver les effets de *miracle diabolique* qui s'attachait, pour
un Gœthe encore, à l'imaginaire du billet de banque, comme
en témoigne vivement le second Faust, sur lequel nous reviendrons, où c'est Méphistophélès lui-même, devenu le fou
de l'empereur, qui conçoit cette invention étrange, incroyable, et vraiment diabolique par sa simplicité. Mais Ch. Gide,
il y a cent ans, a encore l'imagination assez fraîche (ou
médiévale) pour sentir le frisson, et trouver des comparaisons que notre imaginaire culturel technologique n'a plus
a sa disposition. Il perçoit encore la magie de l'opération.
Et c'est d'abord un *rêve* millénaire qu'il évoque ; même
si c'est pour le réfuter. « L'homme qui le premier conçut
l'idée de faire du papier monnaie se flattait que par ce
moyen il augmentait le stock général des richesses, exactement comme s'il avait découvert une mine d'or, et avait

effectué le *magnum opus* de la transmutation des métaux en or, qui fut si longtemps le rêve des alchimistes [1]. »

Le rêve des alchimistes. Nous sommes plus près du Faust de Gœthe que du Strouvilhou d'André Gide. Encore que le papier monnaie, et d'une façon générale le principe du jeton, soit resté encore pour A. Gide le symbole même de la tromperie et des errements de l'intellect hors du trésor enfoui qui seul est valeur authentique. Et en cela, par la comparaison qu'il fait entre jeton et fausseté du langage, il prolonge la suspicion gœthéenne, à un moment où c'est le système d'échange d'une société toute entière qui semble s'engager sur la voie de Méphisto, et perd tout lien vivant avec les « trésors enfouis sous la terre » dont parle le *Faust*. Nous ne devons pas oublier qu'en tant que *substitut,* le papier monnaie a suscité (comme longtemps avant lui l'invention de l'écriture, et comme un peu après lui celle du phonographe) la suspicion enracinée qui s'attache à ce qui est ressenti comme un *artifice malin.* Faire entrer son âme dans une transaction commerciale (vendre son âme) semble avoir un rapport direct avec le papier monnaie puisque c'est celui à qui l'âme est vendue qui est l'inventeur du papier monnaie. Et il n'est pas certain que nous gagnions à effacer de notre sensibilité, l'imagination vécue de ce qui se ressentait là. Non pas pour condamner naïvement ces techniques, mais pour comprendre ce qui se signifie, du rapport à soi-même, aux autres et au monde, à un niveau pré-réflexif, dans ces réactions de crainte. Ces réactions *profondes* de crainte. Puisqu'il s'agit d'un rapport à la profondeur même.

Au début du second Faust, Méphistophélès devient le *fou* de l'Empereur dans une cour médiévale. Un conseil se réunit pour discuter les affaires de l'Etat. La situation est sombre. Le chancelier se plaint de la corruption qui atteint

---

1. *Principes d'économie politique,* chap. v, § II.

toutes les classes de la société. Partout règne un esprit d'immoralité et de révolte. Le général se plaint de ses soldats qui, n'étant plus payés, se soulèvent. Mais le trésorier répond que les caisses sont vides. Que faire ? L'Empereur, excédé et abattu par toutes ces plaintes se tourne vers son fou, qui à son étonnement, n'ajoute pas au concert une nouvelle plainte, mais propose une solution : « Qu'est-ce qui vous manque ? De l'argent ? Voyez la grande difficulté ! Le sol même de l'empire en est rempli. C'est de l'or brut dans les veines des monts ; c'est de l'or monnayé dans les trous des murailles, où l'ont caché les citoyens, effrayés depuis de longues années des guerres et des révolutions. Il ne s'agit que de faire paraître ces richesses à la face du soleil, au moyen des forces données à l'homme par la nature et par l'esprit ! » Mais le chancelier reste incrédule. Comment ferait-on apparaître ces richesses cachées ? « Je reconnais bien là, *réplique le fou de l'Empereur,* votre savante circonspection. Ce que vous ne touchez pas, vous le croyez à mille lieues. Ce que vous ne chiffrez pas vous semble faux ! Ce que vous ne sauriez peser n'a pour vous aucun poids ! Ce que vous ne pouvez monnayer vous paraît sans valeur ! » L'Empereur lui non plus ne comprend pas. Comment le fou peut-il promettre tous les trésors enfouis sous la terre ? Tout cela n'est-il pas vain bavardage ? « A quoi bon tant de paroles, *s'écrit le souverain.* Nous manquons d'argent, trouvez-en !... » Le conseil s'achève et commence une fête, une mascarade. Car il faut vivre en gaîté, faire étalage de luxe et d'abondance pour ne pas perdre la confiance publique.

Dans la mascarade, inspirée de la mythologie grecque, arrive Pluton, dieu des richesses et du monde souterrain. Plutus, entourée d'une foule émerveillée, descend de son char et il ouvre un coffre-fort où brille l'or fondu, dans des vases d'airain. La foule s'approche de la source éclatante de richesse. Mais le dieu infernal, plongeant son sceptre dans le métal jaune en fusion, en asperge la cohue qui pousse des cris de douleur, de crainte et de colère. Puis le dieu Pan arrive à son tour. On reconnaît l'empereur lui-même, déguisé. Des gnômes le conduisent vers le trésor de Pluton, mais quand il se penche pour regarder dans le coffre sa barbe s'enflamme et il faut que Pluton éteigne les flammes.

Après cette intermède mythologique, la cour est de nouveau réunie et devise gaiement de la mascarade. Soudain le général joyeux vient annoncer que les troupes ont été payées. Le trésorier s'écrie que ses coffres, qui étaient vides, maintenant débordent d'or. A l'Empereur, qui ne peut cacher son étonnement, le trésorier lui explique alors ce qui s'est produit : « Pendant que, cette nuit, vous présidiez à la fête sous le costume du grand Pan, votre chancelier nous a dit : " Je gage que, pour faire le bonheur général, il me suffirait de quelques traits de plume. " Alors, pendant le reste de la nuit, mille artistes ont rapidement reproduit quelques mots écrits de sa main, indiquant seulement : ce papier vaut *dix* ; cet autre vaut *cent* ; cet autre, *mille*, ainsi de suite. Votre signature est apposée, en outre, sur tous ces papiers. Depuis ce moment, tout le peuple se livre à la joie, l'or circule et afflue partout ; l'empire est sauvé. — Quoi ! s'écrie l'Empereur, mes sujets prennent cela pour argent comptant ? L'armée et la cour se contentent d'être payées ainsi ? C'est un miracle que je ne puis trop admirer. »

C'est alors que Méphistophélès, qui avait, on l'a compris, inspiré au chancelier, son extraordinaire trouvaille de la nuit dernière, développe la théorie des *banques* et du *papier monnaie*[2]. L'empereur le nomme à vie surintendant des

---

2. Sur le papier monnaie dans le *Faust,* cf. les allusions de Joachim SCHACHT, dans *Anthropologie culturelle de l'argent,* Payot, 1973, p. 106 et 147, et l'analyse de Marc SCHELL, « Money and the Mind :

finances et directeur des mines, sur toute l'étendue de l'empire. Pendant ce temps, le fou de l'Empereur, qu'on avait cru mort, et que Méphistophélès avait remplacé, réapparaît, et le souverain, heureux de le retrouver en vie, lui donne de grandes richesses, *en papier monnaie.* Mais seul de toute la cour, le fou n'attache aucun prix à ce papier, qu'il considère comme juste bon à quelque usage trivial. Il faut que Méphistophélès lui jure que ce papier vaut de l'or, dans un dialogue de fou, ou suivant la figure traditionnelle, le fou est le plus sage :

« — Mais, dit le fou, me le changera-t-on bien contre de l'or ?

« — Sans doute, tout de suite, dit Méphistophélès.

« — Je vais vite changer le papier contre l'or, et l'or contre la maison et la terre. Dès ce soir, je vivrai tranquillement dans ma propriété !

« — Pas si fou ! dit Méphistophélès resté seul, en quittant la scène ; pas si fou ! »

Dans le mythe gœthéen le billet de banque est l'œuvre de Méphistophélès. C'est l'artifice miraculeux (mais un miracle noir) qui permet de se dispenser de prendre la pelle et la pioche pour chercher dans la terre les trésors enfouis. C'est le « truc » (le truquage) qui par un simple trait de plume peut faire de nouveau circuler l'or et les richesses qui restaient serrées dans les caches secrètes. Si l'or en fusion, l'or brûlant, éclatant, coule dans les vases d'airain du dieu Plutus, sans que l'on puisse puiser dans ce foyer aurifère qui consume ceux qui l'approche, une simple signature sur un morceau de papier peut mettre la richesse en circulation. Le contraste est grand entre l'or véritable inaccessible et le *mot écrit* qui devient un signe de valeur. Grâce à l'opéra-

---

the Economics of Translation in Goethe's *Faust* », in *M. E. N.,* vol. 95, The Johns Hopkins University Press, 1980.

tion de Méphisto le papier écrit vaut de l'or. Que ce soit un personnage diabolique qui inspire l'idée du papier monnaie et en expose la théorie, en dit beaucoup sur l'appartenance de Gœthe à une époque qui voit *encore* dans cette technique économique un artifice malin. Le procédé du papier monnaie donne à l'*écriture* un pouvoir exorbitant (quelques mots écrits de la main du chancelier indiquant seulement : ce papier vaut *dix,* etc.) mais en même temps ce pouvoir est acquis si facilement qu'il en devient suspect. L'écriture n'a une telle puissance (qui paraît être celui de créer des richesses) que parce qu'elle emprunte une voie diabolique. Puissance de séparation, de représentation, de délégation. L'opération du « valoir pour » (un signe écrit vaut pour de l'or) ouvre soudain un monde nouveau de relations, mais c'est un monde marqué par l'esprit du mal. Le mythe gœthéen du papier monnaie implique la dénonciation anticipée d'un certain régime, des signifiants : celui de la flottaison, de l'inflation, de la dérive folle (loin du trésor garantissant la valeur authentique). C'est d'abord la valeur et le signifiant *économique* qui sont visées par cette dénonciation implicite, mais la mise en scène mythologique recèle des significations qui dépassent évidemment la procédure économique et qui intéresse le signe en général. La richesse en papier permet d'éviter la descente sous la terre, dans le royaume de Plutus (Hadès des romains). La circulation de *purs signes* de valeur (et de sens) dispense d'aller puiser dans les profondeurs dangereuses où l'or est à l'état brûlant et liquide. Ce n'est plus désormais dans le coffre-fort chtonien du dieu des enfers *et* des richesses que les valeurs originaires auront à être cherchées. Tout se passera *à la surface.* Autant dire que dans cette transformation du régime signifiant, *le trésor du sens profond* n'entre pas directement dans la circulation devenue purement opératoire. Il n'y a plus que des jetons superficiels qui s'échangent, à la convertibilité douteuse, tandis que l'or de Plutus-Hadès, c'est-à-dire les images lumineuses des profondeurs psychiques (l'Inconscient), a perdu toute connexion avec la circulation courante des signes. Ce qui est méphistophélique, c'est cette coupure. Une intelligence purement combinatrice et opératoire *séparée* des significations plus profondes et plus « riches » où le sens est en état permanent de fusion.

Il est certain que chez Gœthe la procédure économique du papier monnaie, outre son sens propre, devient la métaphore d'une procédure sémiotique qui engage un rapport complexe à la vérité, à l'inconscient, au langage. La critique du papier monnaie a un sens économique (la monnaie scripturale apparaît comme une tromperie inquiétante, une manipulation des foules par le chancelier) mais ce sens économique est lui-même le symbole d'une conjoncture existentielle. Le papier monnaie est le symbole de la tromperie de l'intellect calculant qui perd contact avec le trésor des profondeurs. En termes différents, c'est le symbole de la perte de la dimension symboliste : la conscience instrumentale manipule des jetons conventionnels qui ne gardent plus aucun lien avec les significations de l'inconscient. Dès lors, une fois ce contact rompu, l'intellect calculant peut se croire capable de *créer du sens,* et encore du sens, par simple opération scripturale, simple combinaison, manipulation de signes. La puissance de délégation (renvoi, report) qui est celle du signe est devenu proprement démesurée. Le papier monnaie symbolise *l'hybris* du signe pur.

Cependant si le mythe gœthéen thématise une opposition entre la « profondeur » et la « surface » à partir de la figure d'Hadès, dieu des morts, des souterraines profondeurs et des richesses, on ne peut homologuer simplement cette « profondeur » à l'inconscient au sens moderne. Il faudrait plutôt dire que l'*Inconscient est le site qui se repère lorsque la dimension symboliste tend à être exclue, c'est-à-dire pré-*

*cisément lorsque le signifiant tend à devenir opératoire.*
C'est Méphistophélès, devenu le *fou* de l'Empereur qui
invente le papier monnaie. Cette trouvaille est celle d'un
fou, bien qu'elle traduise aussi une maligne perspicacité.
Selon la figure la plus traditionnelle du théâtre, le rôle du
fou et celui du sage peuvent s'intervertir. A la fin de la
scène, lorsque le vrai fou de l'Empereur reparaît, il entend
changer immédiatement ses *billets* en *or* et son or en une
*terre* et une maison. Il ne croit pas en la valeur des billets
de banque. La gradation *billet — or — terre* et *maison,* est
significative du passage vers le plus de *réalité,* la réalité
« matérielle » d'une jouissance possible immédiate, contras-
tant avec le détour constitué par l'or, et plus encore par le
billet. Le fou n'est pas si fou comme le remarque Méphistophélès, car il ne se maintient pas dans le risque d'inconvertibilité, ni dans aucun système de délégation de la
valeur ; il va à la *chose* même. Contrairement à ceux qui
acceptent l'univers médiatisé du papier monnaie (du signe
pur) ou même de l'or (ayant une valeur en soi, mais hors
de la jouissance) le fou se révèle sage en ce qu'il convertit
toute valeur d'échange en valeur *d'usage* (la terre, la maison). De l'usage il fait la finalité de la circulation.

Mais inversement si le fou n'est pas si fou, cela suppose
que les non-fous sont plus fous qu'il n'y paraît. Le papier
monnaie est une folie car il ouvre le règne du signe pur.
Un signe qui est maintenant détaché de toute réalité : un
jeton clivé du trésor. La sphère de la valeur d'échange
devient autonome. Et ceci est diabolique.

Il est très significatif que dans le *Second Faust* apparaisse
un antagonisme entre l'artifice du papier monnaie et la
Femme. Tout se passe comme si, s'agissant de la Femme,
la logique diabolique des *substituts* défaillait. Ainsi à Faust
qui lui demande de faire apparaître Hélène aux yeux de
l'Empereur, par la même magie et le même artifice qui lui

a permis de faire revenir la richesse (le papier monnaie) Méphistophélès lui répond que l'on touche ici à des obstacles plus rudes et qu'il s'agit d'un domaine étranger. « Tu comptes évoquer Hélène, comme le fantôme du papier monnaie, avec des sorcelleries empruntées, avec des fantasmagories postiches... ! » Ici le chemin est tout différent. Impossible d'atteindre la Femme sans être allé au préalable dans les profondeurs dangereuses et vides du royaume des Mères, oui des *Mères,* ce mot qui épouvante... La logique des purs substituts, la logique du jeton, laisse nécessairement en dehors d'elle l'image d'Hélène sur laquelle elle n'a aucune prise ni aucun pouvoir. C'est le rapport à la Femme qui constitue le bord et dénonce la limite de la logique de la *pure* symbolicité.

Qu'Hélène ne puisse être *évoquée* de la même façon que le fantôme (ou le fantasme) qui a pu conduire à l'invention du papier monnaie, cela signifie qu'il y a plusieurs niveaux de l'activité imaginatrice. Lorsqu'il s'agit d'Hélène (dans une œuvre qui conclut sur le pouvoir de l'éternel féminin de nous entraîner vers le haut) il ne peut s'agir que d'une imagination plus *vraie,* qui s'oppose clairement aux « fantasmagories postiches » dont parle Méphistophélès. Indéniablement à travers le personnage symbolique d'Hélène, c'est un certain rapport à l'âme (comme *anima* féminine) qui est en jeu. Et encore une fois, cette question de l'âme est bien celle que pose aussi, à sa façon, le mythe d'Hadès-Pluton.

Car structuralement le billet de banque appartient à un mode de signifier qui est clivé des richesses d'Hadès-Pluton, et est donc fondé sur le déni des « profondeurs ». Ce mode de signifier opératoire ne reconnaît plus la passion de Perséphone, celle qui est enlevée brutalement par le dieu souterrain et doit devenir son épouse. Autant dire que la fonction de l'âme comme médiation entre un clair monde d'en haut et un sombre monde d'en bas (qui est celui de l'intériorité, de profondeurs, des images, et aussi de la mort, mais non pas celui du « diable ») est méconnu, et c'est cela qui est méphistophélique. L'âme a perdu tout rapport avec son trésor et c'est pourquoi Méphistophélès est celui qui *achète* l'âme. « L'âme vendue » correspond à la démesure de l'intellect instrumental qui effectue des opérations sur les signes (devenus autonomes et dont le sens se réduit à la fonction opératoire) sans plus aucun lien avec la couverture (le trésor) qui seul peut en assurer la convertibilité en terme de réalité « profonde ». L'excessive facilité de mise en circulation de billets de banque, écritures qui « valent » nominalement pour de l'or (mais l'or est absent, ou non-disponible) symbolise l'excessive ingéniosité d'un intellect sans âme (sans *anima*) qui manipule des jetons de langage, ramenant le sens à une pure opération sur le signe et perdant tout contact avec les sources profondes du sens (les richesses d'Hadès — or en fusion). Hadès-Pluton figure ainsi ce que connote nécessairement l'imaginaire et la « profondeur ». Car la profondeur, à son tour, signifie. Il n'est pas indifférent de compter avec elle, ou de la dénier.

L'ignorance délibérée du monde d'Hadès et de la souffrance de l'âme comme passion de Perséphone est un artifice méphistophélique qui ramène la « richesse » du sens à une « écriture » sans couverture, et manipulable.

C'est ce que veut le *pouvoir impérial* comme l'indique si bien le mythe gœthéen. C'est ce que veut une économie dominée par le capital bancaire et ses opérations mécanographiques sur les signes de valeur, dirions-nous en un langage contemporain. C'est ce que veut l'imaginaire techniciste.

Bien entendu entre l'opération économique réelle (décrite en terme de technique économique) et ce qu'elle *signifie* sur un plan existentiel et quasi métaphysique, il y a un monde. Dans un cas il s'agit d'une quantité de richesse, en terme de valeur économique, dans l'autre d'une *image* de la richesse (qui est toujours une richesse de l'image) en terme subjectif, et intérieur. Nous pensons, malgré tout, qu'il existe une cohérence symbolique entre les deux aspects, considérés comme des structures.

# 7. Le trésor de la mémoire

Les mots d'un discours renvoient l'un à l'autre le long d'une chaîne de paroles ou d'écritures. C'est le plan du syntagme. Mais, en outre, chaque mot s'associe *dans la mémoire* à d'autres mots absents de la chaîne, et renvoie ainsi à tout un *trésor* plus ou moins obscur et implicite, qui vient *enrichir* le sens des mots, et leur donner une signification plus profonde que celle que leur assignerait leur simple relation avec les autres mots présents. C'est, en terme de linguistique, le plan associatif (ou paradigmatique). Ce plan est celui que toute *métaphore* tend à ouvrir. Littérairement les œuvres romantiques, symbolistes ou surréalistes, sont caractérisées par la domination de ce plan associatif, ouvrant sur le *trésor* des évocations infinies tandis que les récits de l'école réaliste joue surtout sur l'axe de la combinaison syntagmatique [1]. Il est significatif que

---

1. R. BARTHES, « Eléments de sémiologie » in *Communications*, n° 4, 1964, p. 115.

la notion de *trésor* apparaisse constamment lorsqu'il s'agit de ce plan associatif. Barthes parlera ici d'un « trésor de mémoire » (avec des guillemets qui semblent faire de cette expression une citation éternelle). Et pour Breton, aussi, le poète lorsqu'il se livre très précisément à l' « association » libre, dans la pratique de l'écriture automatique qui lui permet d'enregistrer ce qui vient de l'inconscient, « est brusquement mis en possession de la clé d'un trésor » [2].

Ainsi la convertibilité du papier monnaie, qui n'est qu'une écriture, ressemble-t-elle à cette capacité du langage d'ouvrir sur un plan associatif jusqu'à des significations profondes, ultimes, qui semblent garantir par le trésor de la mémoire, la circulation des signes de valeurs. La loi étatique assure de l'existence de cette encaisse, mais sans la rendre visible. Dans la circulation courante, les billets passent de main en main, simple signe de valeur, simple jeton, sans qu'il soit exigé effectivement par les échangistes l'exhibition de la couverture. Le pouvoir d'achat conventionnel du jeton remplace la valeur intrinsèque de l'or. Le trésor existe, la convertibilité est possible, mais elle n'est pas effective. Ce n'est que dans le cas critique où tombe la confiance en l'autorité émettrice, que pourra être exigée la preuve de la convertibilité, et le retour à la surface, de l'or caché. Il faudra alors une opération spéciale, une démarche particulière, où pourra se vérifier la véracité de la loi de convertibilité. La « présence », « l'être-là », l'exhibition de la valeur « en personne » sera alors nécessaire. Ce n'est plus dans le registre de la suppléance, mais celui de la présence, qu'une telle garantie pourra être donnée. Ainsi la monnaie que Charles Gide nomme « conventionnelle » correspondrait, dans le champ du langage, à une écriture qui se réduit à

---

2. A. BRETON, *Positions politiques du surréalisme*, p. 58.

une combinatoire de signes sur le plan du syntagme. Le sens des signes se réduiraient aux opérations horizontales qu'ils permettent, comme dans un système bancaire. Il n'y aurait plus de profondeur évocatoire, plus de renvoi même virtuel à un trésor intérieur ou extérieur qui en garantit le sens.

Le registre de la thésaurisation (ou par ailleurs du paiement en valeur « intrinsèque ») correspond à un *réel* que l'on peut situer de deux façons différentes. Soit comme extériorité empirique, où les choses se donnent « en personne » dans leur présence et leur évidence objective, soit comme intériorité du monde de l'âme où l'encaisse est le trésor d'images dont dispose notre mémoire, la façon dont l'être se donne dans sa présence et son évidence intérieur. Dans chacun de ces cas il s'agit d'une *référence* (extérieure ou intérieure) qui s'appuie sur la valeur intrinsèque, non déléguée, non différée, insubstituable. Ce registre n'est ni celui, idéale, de la mesure, ni celui de l'échangeabilité (symbolique pur) mais constitue le registre du réel (et de la présence). La prééminence de l'une ou l'autre de ces garanties (non pas économique mais dans leur signification sémiotique et philosophique) dépend à son tour du rapport réciproque entre l'archétype, le jeton et le trésor. Lorsque l'équivalent général n'existe que comme archétype non circulant, le « réel » est dans l'*icône intérieur* (trésor d'images) tandis que lorsque l'équivalent général est circulant (ce qui fait système nous l'avons indiqué, avec la représentation réaliste) le « réel » est dans l'*icône extérieur,* c'est-à-dire dans le trésor des faits constitués en objets.

Il y a de bonnes raisons pour qu'un questionnement de la monnaie-or, comme métaphore du langage, se tienne au plus près des ressources de l'âme. Car l'âme sera toujours pensée dans une économie aurifère et aurifique — dans l'économie du trésor. Seule une pensée qui est déjà engagée, sans le savoir, dans la logique substitutive du simple signe à cours forcé, peut ignorer le problème *psychologique* de la valeur intrinsèque — qui est celui du sens fondateur et originaire. Ce n'est pas *un* problème psychologique. C'est la dimension de l'âme, interrogée à partir de l'économie politique des échanges linguistiques. Dans la métaphorique rigoureuse qui s'organise à partir des images économiques, la monnaie-or, et le trésor d'où elle est puisée (et vers lequel elle pourrait retourner en sortant de la circulation) a toujours *le sens du sens originaire,* pensée lui-même comme image primordiale gisant dans les profondeurs de l'âme. Et c'est l'adéquation ou l'écart entre la circulation du simple jeton (à valeur arbitraire) et le trésor originaire des images de l'âme qui constitue *le* problème du faux-monnayage. Ce n'est pas, répétons-le, *un* problème psychologique, c'est la psychologie elle-même (la dimension de l'âme) interrogée à partir de l'économie des échanges.

L'âme, c'est un trésor. Une encaisse, une couverture. Et c'est cette richesse qui garantit le sens du sens circulant. Ce trésor est caché. Il est obscur. Il gît dans les profondeurs. C'est bien de cette encaisse-or dont parle Kant dans ses études de psychologie (1789) : « Trésor caché dans le champ des représentations obscures, qui constitue le socle profond des connaissances humaines et que nous ne saurions atteindre. » Hegel développe. C'est une véritable économie politique de l'âme qu'il donne sous le titre général de « psychologie ». Les rapports entre l'image, le signe, l'âme, se jouent autour des notions de réserve, de propriété, de garantie, de production, de disposition.

Ainsi l'intelligence est « ce puits sombre où est conservé un monde innombrable d'images et de représentations sans qu'elles soient dans la conscience »[3]. Mais l'image, incons-

---

3. HEGEL, *Encyclopédie des sciences philosophiques,* § 453.

ciente, peut sortir de sa réserve. Car passant d'un trésor obscur où elle reste mélangée, *en soi,* elle vient à la conscience et trouve une nouvelle valeur. Elle est *représentée* (devant la conscience). Les images, conservées dans ce « puits inconscient », ont besoin d'une intuition présente pour en sortir, et c'est le souvenir. Mais dès lors, grâce au souvenir, l'intelligence « sait maintenant que l'image, d'abord simplement intérieure, est une image immédiate de l'intuition qui la *garantit.* L'image qui dans le fond de l'intelligence est ainsi la puissance qui peut extérioriser son bien, sans avoir besoin pour qu'il existe, de l'intuition extérieure » [4]. Telle est le mouvement de l'image. Elle sort de la réserve obscure, propriété privée de l'âme, pour se représenter, indépendamment de toute perception extérieure.

Et c'est là, dès lors, mouvement ultérieur, qu'elle peut devenir *signe.* En entrant dans la circulation. Elle entre dans le commerce sous la forme du *mot.* Mais la circulation des mots est aussitôt la mort de l'image. Entre le souvenir imagé et le mot circulant, la vie de l'image aura donc été brève.

L'écriture alphabétique, en effet, ramène tous les signes concrets de la langue à ses « éléments simples » ; elle peut donc « *servir de langage écrit universel pour le commerce des peuples et notamment des savants* ». C'est même le commerce des peuples qui en a été la cause [5]. Or, ce principe de la réduction alphabétique qui a des éléments simples circulants, souligne Hegel, n'est pas seulement un principe d'écriture, il satisfait, et c'est pour cela qu'il est le meilleur, à la condition capitale du *langage en général* : le *nom.* Car à la « simple idée » correspond le mieux, le « simple signe ». Comme elle, il peut s'analyser et se recom-

---

4. *Ibid.,* § 454.
5. *Ibid.,* § 458, *Remarque.*

poser abstraitement. Ainsi la représentation, qui pour l'esprit est simple nom, « *quelque riche qu'on en conçoive le contenu* » sera un simple signe [6].

Métaphore de la « richesse » qui vient ici faire écho à celle du bien et de la réserve, et qui consone avec celle, habituelle en la matière, du trésor, qui est une réserve de richesse. Cela ne signifie-t-il pas qu'une *valeur* fondamentale, stockée et produite dans la réserve, cette valeur attachée au trésor obscur des images imaginées, ne sera pas engagée sur le marché universel des échanges alphabétiques et nominaux ? Et en effet, de même que l'alphabet est une écriture sans images, le nom sera une pensée sans images.

Car de la mémoire *productive* à une mémoire simplement reproductive, il y a une perte de l'imagination. La mémoire reproductive tient le nom pour la chose et la chose pour le nom, « sans intuition ni image » [7]. Ainsi y a-t-il un devenir *iconoclaste* de la mise en signe de la langue. Les mots nous dispensent d'imaginer. Ils sont l'économie de l'intuition et de l'imagination. « En entendant le mot lion, nous n'avons besoin ni de l'intuition, ni même de l'image de cet animal ; le mot une fois *compris* est ma représentation simple, sans image. C'est en mots que nous *pensons* [8]. »

Ce à quoi nous avons assisté ici, avec Hegel, c'est à la formation du mot, comme *équivalent général circulant*, et au procès d'effacement des images que cette circulation nominale entraîne. Or cette économie de l'image, cet iconoclasme du nom, du concept, et de l'alphabet, c'est aussi l'oubli de la production. C'est le règne du commerce, et des valeurs d'échange universelles, devenu dominant, et refoulant la production qui pourtant le rend possible. Car la ré-

---

6. *Ibid.*, § 458.
7. *Ibid.*, § 462.
8. *Ibid.*, § 462.

serve d'image, le puits sombre, étaient, disait Hegel, le lieu d'une production. C'est la fantaisie qui travaille dans cet « atelier intérieur » [9]. La fantaisie est « activité créatrice » ou « productrice » des signes [10] ; ou encore imagination qui « *symbolise, allégorise,* ou *poétise* » [11]. C'est donc bien à une activité de production ou de création que renvoie le trésor ou la « richesse » — qui est toujours celle de l'âme, et non de la pensée, qui ne connaît que des catégories générales, des « valeurs » abstraites, appartenant à l'entendement.

Il est remarquable que ce procès psychologique qui va de la poétique inconsciente de l'image à la nomination sans image, soit aussi le passage *de la production au commerce,* ou de « l'atelier intérieur » au marché. Tout se passe comme si Hegel, en faisant une théorie de l'éviction de l'image par le nom, faisait aussi une théorie de la domination de l'échange (sous la forme de l'équivalent général) sur la production. Il nous semble qu'il n'y a pas là de coïncidence, mais que le mouvement « psychologique » que Hegel développe est strictement solidaire d'une logique des échanges sociaux qui intéresse à la fois et en même temps le niveau des signes et celui de l'économie.

Les échanges développés dégagent des signifiants simples universels par le principe de l'abstraction de tout contenu iconique, et c'est la *lettre* et le *nom.* Pour Hegel, point remarquable, nous le répétons, la lettre et le nom correspondent au même principe d'abstraction et d'universalisation ; ils constituent tous deux le même moment décisif d'appauvrissement extrême en intuition et en image, dénuement total apprécié malgré tout comme un gain de pensée

---

9. *Ibid.,* § 456.
10. *Ibid.,* § 457.
11. *Ibid.,* § 456.

pure, de plus-value dans l'élément de l'universalité formelle. Nous n'avons aucun mal à repérer ici un moment de la logique des échanges, la forme « équivalent général circulant » à laquelle nous avions rattaché la *monnaie,* le *terme* (conceptuel) et l'*alphabet* [12]. Ce n'est qu'à ce moment que la valeur et le sens sont conçus dans leur universalité abstraite. Ce qu'ils évincent en même temps, c'est le sens non-linguistique (l'image imaginée) et la valeur non-monétaire (le produit en dehors du marché).

Et ce n'est certes pas hasard si Hegel, après avoir atteint le *mot* compris sans intuition ni image, passe à un paragraphe sur « l'être comme mot », c'est-à-dire à une remarque ontologique. « Cette intériorisation la plus haute de la représentation est la manifestation la plus haute de l'intelligence, où ayant mis de côté la distinction entre le sens et le mot, elle pose l'*être,* espace universel des noms, comme tels, c'est-à-dire dépourvus de sens. Le Moi qui est cet être abstrait, est aussi, comme subjectivité, la puissance des divers noms, le lien vide qui en fixe en soi la série et les maintient en bon ordre [13]. » Dès lors une chaîne de solidarité remarquable se dessine. Appartiennent au même moment de la logique des échanges, non seulement la *lettre,* le *nom* et l'*être,* mais aussi l'*ego* comme centralisateur des divers noms, et garant de leur ordre. C'est le moment de l'équivalent général circulant, comme culmination de l'iconoclasme de la logique des échanges.

Et il apparaît aussi que ce que nous désignons comme l'inconscient (le trésor des images obscures, le puits profond) est l'effet même de l'iconoclasme de la logique des échanges, l'effet en retour de la non-métabolisation des ima-

---

12. Cf. *Economie et symbolique.*
13. *Ibid.,* § 463.

ges dans une conscience devenue exclusivement échangistes, et qui n'est plus que le lien vide des noms, sans intuition ni images.

Valéry a été très sensible à la différence entre le mot considéré dans sa fonction d'échange, et le mot pris isolément, comme évocateur d'une signification *profonde* qu'il est difficile, sinon impossible, de définir et d'épuiser. Tandis que la complication ou l'énigme du retentissement dans l'âme passe inaperçu lorsque le mot circule rapidement, il perd sa limpidité lorsqu'on *s'arrête* sur lui [14]. La rapidité de la circulation est donc un facteur de transparence — même si cette limpidité est illusoire. Tout ce qui freine le flux linguistique *aggrave* au contraire la signification et la tire vers les obscures profondeurs.

Or le poète est celui qui s'attarde, qui s'appesantit sur le mot, pour en éprouver tous les effets en lui et en accepter l'énigme. Il le soustrait à sa fonction de moyen d'échange, *le retire de la circulation* [15] pour en éprouver la valeur de retentissement — ce que Valéry nommera dans une réflexion sur la notion de profondeur « la valeur intrinsèque ».

Mais cela suppose que le poète tienne le langage pour autre chose qu'un simple signe. Et ici l'homologie monétaire, encore elle, insistant d'une manière cohérente, devient inévitable. Valéry n'a pas cherché à l'éviter : « Comment faire pour penser — je veux dire : pour *repenser,* pour approfondir ce qui semble mériter d'être approfondi — si nous tenons le langage pour essentiellement provisoire, *comme est provisoire le billet de banque ou le chèque, dont ce que nous appelons la « valeur » exige l'oubli de leur vraie*

---

14. « Poésie et pensée abstraite », in *Variété* v, Gallimard 1944, p. 132.
15. *Ibid.,* p. 132.

*nature,* qui est celle d'un morceau de papier généralement sale ? Ce papier a passé par tant de mains... [16] »

Si le locuteur ne tenait le langage que pour un billet de banque ou un chèque, s'il se satisfaisait de sa seule fonction transitoire d'instrument d'échange, fonction dans laquelle le langage, comme la monnaie, se réduit au simple signe, alors il n'y aurait pas de langage poétique. Le poète est celui qui exige autre chose. Ce qu'il attend ne se trouve pas dans le registre de la substitution — où le signe n'est qu'un jeton provisoire qui attend, en principe, d'être changé — mais dans celui du trésor, ou peut-être (comme Mallarmé ou Heidegger le suggèrent) de la mesure transcendante.

L'axe de la « valeur » en poésie n'est pas celui où s'opèrent les changes et les échanges *bancaires* (« billet de banque », « chèque ») mais celui où se cherche, par un effort singulier, l'ancrage (ou la garantie) dans un trésor ou un fond, qui excède le signe circulant. Mais comment échapper à la fonction bancaire du langage ? « J'essaie de remplacer les formules verbales par des valeurs et des significations non verbales, qui soient indépendantes du langage adopté. J'y trouve des impulsions et des images naïves, des produits bruts de mes besoins et de mes expériences personnelles. *C'est ma vie même qui s'étonne,* et c'est elle qui me doit fournir, si elle le peut, mes réponses, car ce n'est que dans les réactions de notre vie que peut résider toute la force, et comme la nécessité, de notre vérité [17]. » Telle est donc l'opération non-bancaire qu'effectue le poète. Echappant au « régime d'échanges ordinaires » [18], il essaie le remplacement des signes du langage par des valeurs non-

---

16. *Ibid.,* p. 133. Nous soulignons un membre de phrase.
17. *Ibid.,* p. 134.
18. *Ibid.,* p. 135.

verbales — le trésor des impulsions, et des images. Cette orientation est celle de la profondeur.

Valéry n'est pas naïf concernant la profondeur. Il pense la « profonde pensée » en terme de *temps* et d'*échange*. Et donc dans une certaine économie parfaitement définie.

« — " Profonde pensée " est une pensée qui nous paraît n'avoir pu se former et se laisser prendre qu'à l'écart du *temps naturel*. Elle nous impose quelque chose de plus que les pensées qu'un simple échange expédie.

« — " Profondeur " ? — le sens vague de ce mot me semble composer les idées de deux grandeurs : la *grandeur* d'une certaine *transformation* de l'objet de notre pensée, *et* la *grandeur* de l'*effort* que nous croyons avoir été nécessaire pour effectuer cette transformation — ou pour lui permettre de se produire.

« La transformation dont je parle affecte, sans doute la *portée* d'un mot, d'une proposition ou d'une image, qui nous étaient de purs signes — éléments de transition, bons ou suffisants pour ce régime d'échanges (ce *temps naturel* dont je parlais), et qui reçoivent tout à coup je ne sais quelle force ou quelle valeur que nous devons supposer puisées au plus près du *point d'existence* ineffable où la pensée *touche,* et peut intéresser à soi, le plus possible des puissances d'une vie [19]. »

Dans la réflexion sur « poésie et pensée abstraite » (*Variété* v) comme dans cette dernière pensée isolée de *Tel Quel* II se formule la même position concernant la profondeur. Lorsqu'au lieu de nous satisfaire de « purs signes », transitoires, correspondant à des pensées « qu'un simple échange expédie », nous allons, plus pesamment et plus gravement, vers ce qu'ils font retentir en nous, vers ce qu'il

---

19. *Tel Quel* II, p. 176 et 177.

« touche » de notre vie, alors la pensée se fait « profonde ». Nous n'acceptons plus, de confiance, les jetons circulants du langage pour les rendre tel que nous les avons reçu, mais refusant ce fiduciaire, nous exigeons sur-le-champ les *réelles valeurs* desquelles ils sont censés être les substituts commodes. La pensée se fait profonde lorsqu'elle exige de « toucher » (au sens commercial du mot) le trésor même dont les purs signes n'étaient que le remplacement conventionnel. Loin de se suffire de la *convertibilité de droit,* elle réclame une conversion de fait. C'est alors « le plus possible des puissances d'une vie » qui est « intéressé ». C'est « notre vérité » qui est concernée. La simple valeur d'échange est convertie par cette opération en une valeur *en soi ;* elle remonte à la source de toute valorisation. La pensée touche la valeur absolue, l'étalon intime de mesure, à partir duquel toute estimation existentielle était faite.

C'est ce que Valéry, avec une grande cohérence lexicale, nomme « valeur intrinsèque ». Il est vrai que pour lui le caractère intrinsèque de la valeur ainsi touchée est déceptif. Car si c'est là seulement « que peut résider toute la force, et comme la nécessité de notre vérité », il s'agit d'une vérité intérieure qui est poétique davantage qu'objective. D'où la réserve : « Mais cette valeur n'est qu'intrinsèque. Rien ne nous assure que la pensée transformée dans cette " profondeur " s'ajuste mieux qu'une autre à l'expérience [20]. »

Il est remarquable qu'au moment où l'existentialisme affirmait la fin de « toute possibilité de trouver des valeurs dans un ciel intelligible » [21] ce n'est pas au ciel, mais plutôt

---

20. *Ibid.,* p. 177.
21. Formule de Sartre dans *L'existentialisme est un humanisme,* qui accentue jusqu'au schématique la signification anti-platonicienne de l'existentialisme.

sous la terre « inintelligible » et les eaux sombres, dans les caveaux archéologiques de l'inconscient que la découverte s'approfondissait, de véritables *a priori* de l'imagination, qui retrouvaient, mais d'une façon différente, l'intuition platonicienne des « Idées ». Tout se passe comme si ce qui n'était plus trouvable dans le ciel, pour la subjectivité insulaire de l'homme moderne, ayant perdu tout contact avec les racines de la conscience, devait malgré tout, dans un langage symboliste donc énigmatique, se retrouver sur une autre scène.

Historiquement, les conceptions du signifiant flottant, ou dérivant (qui correspondent à la logique bancaire du langage) sont strictement solidaires des conceptions dialectiquement inverses qui recherchent au contraire dans les profondeurs de l'esprit ou de l'âme, des sources capables de redonner un ancrage et une encaisse à la circulation devenue flottante des signifiants. La rupture non-représentative correspond à l'hégémonie du jeton, en même temps qu'elle ouvre et dénude le site des mesurants et du trésor. Lorsqu'il n'y a plus d'équivalent général *incarné*, la fonction idéale ou imaginaire retrouve sa transcendance hors-échange, tandis que la fonction échangiste devenue autonome reste entièrement soumise à la logique formaliste et manipulatoire du jeton — signifiant flottant et inconvertible. Ainsi à la formalisation de la raison dont la *banque* et l'*ordinateur* sont la manifestation politique la plus visible, ne peut plus s'opposer que la recherche de significations « absolues » et « originelles » non médiatisées par l'échange devenu aliéné. A la valeur purement opératoire du jeton entraîné dans un compte mécanographique sans signifié transcendantal, ne peut s'opposer que l'expérience, d'ailleurs problématique des Mesurants (« poétiques », « religieux », « mythiques » « historiques ») qui fondent l'inconscient de la social

Puisqu'un seul corps, dans la logique non-représen

des échanges sociaux, ne peut plus être à la fois mesurant (idéalité) circulant (symbolicité) et « en personne » (réalité) les trois fonctions se détressent, et la certitude se défait, obligeant à *repuiser,* mais à un autre moment historique de transposition, dans le refoulé qu'elles réglaient en le *désimaginant* jusqu'au jeton.

# Table

ACHEVÉ D'IMPRIMER EN MARS 1984
SUR LES PRESSES DE JUGAIN IMPRIMEUR S.A.
A ALENÇON (ORNE). Nº D'ÉDITEUR : 264
DÉPÔT LÉGAL : MARS 1984